The Peter Paul Charitable Foundation
Series of English Canadian Poetry

General Editor Branko G[...]

Longo poesia

To the memory of Vincent Peter Paul, whose search
for beauty and its expression in Italian culture benefited many Canadians,
inspired those who knew him, and affirmed his conviction that life,
in all its aspects, is a gift to be celebrated.

Margaret Atwood

Giochi di specchi
Tricks with Mirrors

A cura di Branko Gorjup e Francesca Valente
Acquarelli di Luigi Ontani
Traduzioni di Laura Forconi, Caterina Ricciardi,
Francesca Valente

Longo Editore Ravenna

This book has been published
with the kind assistance of the Canada Council
the Department of Foreign Affairs and International Trade
and the Peter Paul Charitable Foundation

I curatori e le traduttrici desiderano ringraziare Margaret Atwood, Fernando Bandini, Deborah Brent, Barry Callaghan, Anna Chiavatti, Sarah Cooper, Coral Ann Howells, Mario Luzi, Liliana Madeo, Anne Michaels, Luigi Ontani, Carla Plevano, Rosemary Sullivan, Bianca Tarozzi e gli Istituti Italiani di Cultura di Toronto e Los Angeles.

The editors and translators would like to thank Margaret Atwood, Fernando Bandini, Deborah Brent, Barry Callaghan, Anna Chiavatti, Sarah Cooper, Coral Ann Howells, Mario Luzi, Liliana Madeo, Anne Michaels, Luigi Ontani, Carla Plevano, Rosemary Sullivan, Bianca Tarozzi and the Istituti Italiani di Cultura, Toronto and Los Angeles.

The Peter Paul Series of English Canadian Poetry is distributed in Canada by
McArthur & Company, c/o Harper Collins
1995 Markham Road, Toronto, ON M1B 5M8
toll free: 800 387 0117 – 800 668 5788 (fax)

Permission for this publication was granted by the author.

The poems reprinted in this collection are from *Selected Poems*, Oxford University Press, 1976, *Selected Poems II*, Oxford University Press, 1986, selected from the original editions: *The Circle Game* (copyright Margaret Atwood, 1966), *The Animals in That Country* (copyright Margaret Atwood 1968), *Journals of Susanna Moodie* (copyright Margaret Atwood 1970), *Procedures for Underground* (copyright Margaret Atwood 1970), *Power Politics* (copyright Margaret Atwood 1971), *You Are Happy* (copyright Margaret Atwood 1974), *Two-Headed Poems* (copyright Margaret Atwood 1978), *True Stories* (copyright Margaret Atwood 1981), *Murder in the Dark* (copyright Margaret Atwood 1983), *Snake Poems* (copyright Margaret Atwood 1983), *Interlunar* (copyright Margaret Atwood 1984), and *Morning in the Burned House*, McClelland & Stewart Inc., 1995.

Questo volume è stampato su carta Fabriano «Palatina»

ISBN 88-8063-260-4

Testimonianze

Appreciations

Fernando Bandini – Barry Callaghan
Coral Ann Howells – Liliana Madeo – Anne Michaels
Rosemary Sullivan – Bianca Tarozzi

Margaret Atwood's poetry is powerfully visual. It tells the reader where or what to see: "...look *here*, Saskatchewan / is a flat lake, some convenient rocks / where two children pose with a father..." ("At the Tourist Office in Boston"). The "pose" evokes a photograph, which in Atwood's writing appears as a recurring motif and a central metaphor. It symbolizes moments of memory that impel the re-emergence of events with sudden clarity even if retrieved from a distant past.

Although Atwood's verse tends to be elliptical and brief it is constructed from concrete events, it is "narrated" without necessarily becoming narrative, the way that story telling does. In a recent interview with Francesca Valente, Atwood talks about this aspect of her poetry in a larger context: "...in the 60s, poets like myself, Michael Ondaatje and others, instead of writing long poems of the Victorian kind, wrote sequences of shorter poems, which had, however, plots, characters and dramatic events like in novels." She points out the continuous presence – though marginal it may have been – of the narrative poetic tradition, stretching back to Tennyson and Longfellow, which in Canada found its fullest expression in the poetry of E.J. Pratt. She also accounts for her own significant production of prose, (in Italy Atwood is still mainly known as a novelist and a short story writer), in an attempt to shed light on the specificity and the uniqueness of her poetic voice. Thus the mark of distinction of her poetry can be attributed to its brevity and conciseness while, at the same time, it continues in a certain manner to be "narrated" – to tell stories, particularly when the powerful Canadian landscape is concerned.

Canada does not have a *volk*, a uniform people, which makes it difficult for its inhabitants to think of themselves in terms of uniform national identity – historically, Canada has always been a multiethnic and multicultural society. Though, if there ever was one unifying factor that helped shape Canada's history and its people, it had to be the country's landscape. Facing this powerful referent...humans could occasionally and precariously attain their common sense of the self. Atwood seems to illustrate this through the vicissitudes of an ancient Ulysses-like figure who, when confronted with the Canadian wilderness, becomes aware of his limitations: "He stood, a point / on a sheet of green paper / proclaiming himself the centre, / with no walls, no borders / anywhere; the sky no height / above him, totally un- / enclosed / and shouted: / Let me out!" ("Progressive Insanities of a Pioneer").

The short verse that Atwood seems to privilege – in spite of her unexpected shifts of direction – is well adjusted to a world in a state of

Margaret Atwood è una poetessa nella quale la "visività" si accampa con forza. Il vedere comporta l'attualità della visione segnalata dalla frequenza dei deittici "...guardate *qui*, il Saskatchewan / è un lago piatto con rocce adatte / a far da sfondo a due bambini in posa con un padre..." ("Al centro turistico di Boston"). La *posa* evoca l'immagine della fotografia, che è tema ricorrente e insieme immagine centrale della poesia della Atwood. La foto è in realtà metafora della memoria, delle sue improvvise — nitide anche si tratta di eventi remoti — riapparizioni.

E ho detto eventi perché di eventi, sia pure evocati attraverso lo scorcio e l'ellissi, è costruita questa poesia. Non veri e propri racconti ma in qualche modo il loro fantasma. Nell'intervista di Francesca Valente, la Atwood afferma: "Negli anni Sessanta poeti come me, Michael Ondaatje e altri, invece di scrivere lunghi poemi narrativi del tipo vittoriano, hanno scritto poesie più brevi che hanno tuttavia intrecci, personaggi ed eventi drammatici come nel romanzo". La Atwood si riferisce al persistere nella periferia letteraria canadese di una poesia narrativa alla Longfellow e alla Tennyson in autori come E.J. Pratt, ma fa anche i conti con la sua importante produzione narrativa (per la quale è soprattutto nota in Italia), nel tentativo di definire la specificità e la diversità del suo esercizio poetico. Ed assegna questo marchio distintivo ai caratteri della scrittura poetica, alla sua maggiore brevità e condensazione. Ma anche il paesaggio, che così imperioso si accampa sui versi della Atwood, è in qualche maniera "raccontato".

In Canada non esiste un *volk* unitario ed è difficile individuare i tratti di una identità nazionale. È un paese multietnico, lo è stato nei secoli passati e lo è anche nel presente. Cosicché l'unico elemento unificante sembra essere la terra, il paesaggio, e la sua capacità di sovrapporsi prepotentemente alla storia e al gesto degli uomini. Di fronte alla terra, di fronte a un referente ancora forte, l'uomo riacquista la lentezza di un suo senso paradigmatico, perenne. Nella poesia "Insanie progressive di un pioniere", Margaret Atwood sembra illustrare le vicende di un ulisside antico che avverte nell'impatto con la terra la propria finitezza: "Si fermò, un punto / su un foglio di carta verde / proclamandosi il centro, / senza muri né confini / ovunque, il cielo smisurato / sopra di lui, non / circoscritto, / e gridò. / Fatemi uscire".

Lo stesso verso breve, che la Atwood sembra prediligere, si adegua perfettamente, con le sue nervose impennature e gli improvvisi mutamenti di rotta, alle continue trasformazioni del mondo, a quanto sembrava definitivamente percepito ma presto muta, ed è qui che la poetessa aggiunge un in-più alla costante forza dei suoi occhi. Si veda

flux, to what may appear stable yet changeable. And it is this that actually expands Atwood's already powerful vision, which is most significantly evoked in the sequence of snake poems (the edible snake, the god snake, the grandmother snake). Ultimately, Atwood tells us, human life is threatened by darkness, by the individual's inability to define oneself in terms of belonging to any specific human tribe: We left behind "…one by one our civilized / distinctions / and entered a large darkness. /It was our own / ignorance we entered."

Fernando Bandini

la serie dei componimenti dedicati al serpente (al serpente da mangiare, al serpente-dio, al serpente nonna). Perché alla fine la vastità dei giorni è dominata, nello sguardo della Atwood, dalla minaccia dell'oscurità, dalla impossibilità di definire la propria appartenenza a qualche umana tribù: "Lasciammo indietro una a una /...le nostre civili / distinzioni / ed entrammo in una vasta tenebra. / Fu nella nostra / ignoranza che entrammo".

Fernando Bandini

Margaret Atwood knows about dread, about the things that creep across your heart like mildew shrouded on bread. She knows how you have played murder in dark and how, after a glass or two of wine, you hanged someone for having blue eyes.

She knows your mother's story about being raped by a swan (the housemaid in the family photograph has an invisible balloon over her head: *Slut*). She knows how you stamped your foot on stone in the wilderness and watched it sink up to your knee and you cried: "Wait a minute. I own this," and only a girl with no hands reached out to console you.

She has been through this before with you, the circle games, playing double dutch, double-cross, double solitaire. Weave a circle round her. She is a trickster. Who else could get inside Half-Hanged Mary's skin and speak in tongues from the end of a rope?

But there comes an hour when life doubles back on itself. The dreaded NO that leaps up and surrounds you in the Fun House suddenly seems no more than terror on stilts. Something occurs that stops your heart with a thud. Where you began is about to end. Your father is no longer an older man, he is a dying man.

Though there are tears, though there are disorienting dreams, though someone else's hand comes out of his tweed sleeve, there is no blurring. No duplicity. No tricks of seeing. No notes toward a poem that can never be written. No. In grief, love is transparent, and so your line is transparent. Grief has no past, no future, there is no place in grief for the trickster. In a single word you whisper a whole world:

I love you like salt.

Barry Callaghan

Margaret Atwood conosce la paura, sa delle cose che strisciando ti avviluppano il cuore come un sudario di muffa sul pane. Sa di come hai giocato all'assassino nell'oscurità, e di come, dopo un bicchiere o due di vino, una volta impiccasti qualcuno per i suoi occhi azzurri.

Conosce la storia di tua madre violata da un cigno (la cameriera nella foto di famiglia ha un fumetto invisibile sopra la testa. Sgualdrina). Sa di quando calpestasti con forza la pietra nella landa e, vedendo la gamba affondare fino al ginocchio, esclamasti: "Un momento. Questa mi appartiene" e solo una ragazza senza mani si protese per consolarti.

Lei sa cosa vuol dire far questi giochi con te, il girotondo, il doppio salto con la corda, il doppio gioco, il doppio solitario. Intreccia un cerchio intorno a lei. È come un giocoliere. Chi altri entrerebbe nella pelle di Mary, la Mezza-Impiccata, per mettersi a parlare in lingue dall'estremità della corda?

Ma viene l'ora in cui la vita si piega in due su se stessa. Il diniego temuto che balza fuori e ti accerchia nella Casa dei Divertimenti all'improvviso sembra poco più che terrore sui trampoli. Avviene qualcosa che, con un tonfo sordo, ti arresta il cuore. Il tempo in cui hai iniziato sta per finire. Tuo padre non è più un uomo anziano, è un uomo che muore.

Anche se vi sono lacrime, se i sogni sono disorientanti e la mano di qualcun altro esce dalla manica del suo cappotto di tweed, non c'è tuttavia offuscamento alcuno. Non vi è duplicità. Non vi sono illusioni ottiche, né note per una poesia che non sarà mai scritta. No, niente di tutto questo. Nel dolore, l'amore è trasparente, e così, trasparente è il tuo verso. Il dolore non ha passato né futuro, non c'è spazio nel dolore per giochi di prestigio. Con una sola parola sussurri un mondo intero:

Mi piaci come il sale.

Barry Callaghan

The first poem I ever heard Margaret Atwood read was "True Stories," back in 1982 when she won the Welsh Arts Council International Writer's Prize. What struck me was her voice with its deliberate lack of emphasis and then the poem, so astonishingly direct and assertive: "The true story is vicious / and multiple and untrue / after all." Possibly by coincidence and certainly by sheer contrast the poster for that event featured a full printout of her poem "Nothing": "Nothing like love to put blood / back in the language," and it is this combination of unflinching clarity of vision and intense lyricism which for me distinguishes Atwood's poetry. Her siren song "works every time" and it is never "boring."

Atwood has been a poet longer than she has been a novelist, and she has presented herself as a sort of ambidextrous artist if not actually a split personality, with her witty theories about poems being written from the right side of the brain and novels from the left side. Nevertheless, there are common concerns, and rather than a split personality, we might see Atwood as a shapechanger who transforms herself into many personas as she experiments endlessly with words and literary conventions. Always it is the voice that engages our attention, addressing us directly as "you" in what looks like a confession — until we realize there are so many voices. These voices are predominantly female, as women speak out of ancient myth and legend ("Siren Song," Euridyce in "Orpheus," "Sekhmet," "Cressida to Troilus"), out of Canadian history (*The Journals of Susanna Moodie*), and out of a variety of contemporary locations, speaking sometimes of love or landscape but also of violence and death. "A Women's Issue," "Notes Towards a Poem...," and "Iconography" speak for those women whose voices have been silenced, doing so with a lethal economy of language which reminds us that words like "precision" and "restraint" aptly describe Atwood's poetry.

However, it is that elusive personal voice speaking from the Canadian wilderness which is most fascinating. Where *is* that speaking I? Atwood conjures an absent presence up from the lake ("This Is a Photograph of Me") or out of the ashes of memory thirty years later ("Morning in the Burned House"). Is this a trick with mirrors? Is it a "trap" or a "blessing"? It is a celebration of the poet's magic power with words, her spell against loss, and her promise of transformed vision within the imaginative spaces of her poems. Atwood teaches us to pay attention, assuring us that we will be able to see much better "if you look

La prima poesia che ebbi occasione di sentire dalla voce di Margaret Atwood fu "Storie vere". La lesse nel 1982 quando le fu conferito il premio del Welsh Arts Council International Writer. Innanzi tutto mi colpì la deliberata mancanza di enfasi in quella voce, poi la poesia così straordinariamente esplicita e assertiva: "La vera storia è perversa / multiforme e non vera / dopo tutto". Forse per pura coincidenza, di certo con un effetto di immediato contrasto, il manifesto dedicato all'evento riportava per intero un'altra sua poesia "Nulla": "Nulla come l'amore fa rifluire il sangue / nel linguaggio"; ed è questa combinazione di risoluta chiarezza di visione e di intenso lirismo che, a mio parere, distingue la poesia della Atwood. Il suo canto di sirena "funziona sempre" e non è mai "tedioso".

La Atwood è stata poetessa prima ancora che narratrice, e si presenta con i tratti tipici di un'artista, per così dire, ambidestra, se non addirittura dotata di duplice personalità, con le sue argute teorie secondo le quali la poesia è prodotta dal lato destro del cervello e la narrativa da quello sinistro. Nondimeno vi è un'area che concerne entrambe le parti, e quello che potremmo vedere nella Atwood non è tanto uno sdoppiamento della personalità, quanto una capacità di metamorfosi, di trasformare se stessa in molte *personae* mentre sperimenta incessantemente con le parole e le convenzioni letterarie. È sempre quella voce che cattura la nostra attenzione, rivolgendosi a noi direttamente con il 'tu' in un tono quasi di confessione – sino a quando non ci accorgiamo che si tratta non di una, ma di molte voci. Sono voci per lo più femminili, voci di donne provenienti dal mito antico e dalla leggenda (la sirena in "Canto della Sirena", Euridice in "Orfeo", "Sekhmet", Cressida in "Cressida a Troilo: un dono"), dalla storia del Canada (*I diari di Susanna Moodie*) e da un'ampia varietà di luoghi contemporanei, che parlano talvolta di amore o paesaggi ma anche di violenza e morte. "Un problema di donne", "Note per una poesia che non sarà mai scritta" e "Iconografia" parlano per quelle donne le cui voci sono state messe a tacere, e lo fanno con assoluta economia di linguaggio, ricordandoci che parole come 'precisione' e 'restrizione' sono le più adatte a descrivere la poesia della Atwood.

Tuttavia, è la voce elusiva e personale proveniente dalla desolata landa canadese quella che più ci affascina. Dove *è* quell'io che parla? La Atwood evoca una presenza-assenza facendola emergere dal lago ("Questa è una mia fotografia") o dalle ceneri della memoria a trent'anni di distanza ("Mattino nella casa bruciata"). È un gioco di specchi? È una "trappola" o una "benedizione"? È una celebrazione del potere magico che il poeta esercita con la parola, del suo tentativo di resistere

long enough," and the last word of the last poem in this volume radiates that promise, "Incandescent."

Coral Ann Howells

alla perdita con l'incantesimo, del suo impegno a trasformare la visione entro i confini poetici della sua immaginazione. La Atwood insegna a prestare attenzione, assicurando che si può riuscire a vedere molto meglio se si guarda "abbastanza a lungo"; e l'ultima parola dell'ultima poesia di questo volume irradia una promessa: "Incandescente".

Coral Ann Howells

Atwood's verse runs smoothly, with disarming simplicity. Concrete objects and their blurred outlines are poignantly delineated: a branch, a tree, low hills, a small frame house, a lake. Is this an opening to a story, a backdrop to events and characters in a poem that is about to take shape? No. It isn't. What we have is a description of a photograph. And "the photograph was taken / the day after I drowned." With an imaginative flight, a masterful use of paradox and metamorphosis, characteristic of Atwood, she abandons the ground that seems to slide toward descriptive realism, tearing off the shroud that surrounds the mystery of death, the anxiety of the unknown and the elusiveness of truth. The poet, a woman, searching for her identity, is at the centre of the poem. She leaves and comes back, dies and is born again. She crosses the realms of light and darkness. She is suspended between life and death, between the actuality of being and the dizzying immateriality of the unconscious and myth.

"This Is a Photograph of Me" is an excellent example of Atwood's craft. Its 26 lines reveal the voice of a great modern poet, spare in utterance. In them, as elsewhere, she tells of the restlessness and anguished expectations of women, of how they've been disquieted by oblivion, uncertainties, disavowals and self-retrievals. But the woman in her poems is courageous – "We left behind one by one / the cities rotting with cholera, / one by one our civilised distinctions / and entered a large darkness. / It was our own / ignorance we entered"; prophetic – "I need wolf's eyes / ...the truth" – and endowed with powerful sensuality, like her country, Canada, a land of unexplored forests and enchanted lakes, where nature is ravenous, enticing, alive with legends and myths and inhabited by strange animals and mysterious subterranean creatures that enter the dreams of the living, of her female body and mind.

Dialogues with these presences are terse. In "Departures from the Bush" she admits: "There was something they almost taught me / I came away not having learned." Silence is everywhere, and so is darkness. She waits for the healing light in which the broken body and the broken world can be reconstituted. She hears the sudden outbursts of foreboding sounds and sees images like the "tentacles in the night," in "Further Arrivals," or the "malice in the trees' whispers" and the "beached skulls," in "Siren's Song." The apparitions, the many-faced ghosts, the friends from the past, "changed and dangerous," now inhabit the world that's different from ours, yet remain always with us, "...whispering their / complaints..." in "Procedures for Underground." She witnesses the Saints who "live in the trees and eat air," making

I versi scorrono lievi, di disarmante semplicità. Puntigliosi, allineano contorni sfocati e oggetti concreti. Un ramo, un albero, basse colline, una casa in legno, un lago. L'esordio di un racconto, lo sfondo di eventi e personaggi di un poema che sta per prendere corpo? No. È la descrizione di una foto. E "la foto è stata scattata / il giorno dopo che sono annegata". Con un colpo d'ala, con la sapienza del paradosso e della metamorfosi che contraddistingue la sua opera, Margaret Atwood abbandona il terreno che pareva scivolare verso il descrittivo, il timbro realistico, e fa esplodere l'ombra della morte e del mistero, l'ansia dell'ignoto e l'inafferrabilità del vero. Torna lei al centro della scena, torna la donna che cerca se stessa, che parte e ritorna, muore e rinasce, attraversa i regni della luce e gli abissi delle tenebre, in bilico fra la vita e la morte, fra la materialità dell'esistente e la vertiginosa disordinata immaterialità dell'inconscio, del mito.

Esemplare, "Questa è una mia fotografia". In 26 versi si modula la voce di una grande poetessa moderna. Scabra nel linguaggio. Capace di raccontare i turbamenti e le aspettative di una femminilità inquieta, percorsa da oblii, insicurezze, disconoscimenti e recuperi di sé. Coraggiosa: "Lasciammo indietro una ad una / le città putrescenti di colera, / una ad una le nostre civili distinzioni /ed entrammo in una vasta tenebra. / Fu nella nostra ignoranza / che entrammo" ("Nuovi arrivi"). Profetica: "Mi occorrono occhi di lupo per discernere / il vero" (Id.). Di una forte carnalità, in sintonia con il suo paese, il Canada delle foreste inesplorate, dei laghi incantati, di una natura vorace, seduttiva, carica di leggende, miti, animali sconosciuti e figure misteriose che vivono nel sottosuolo e abitano i sogni dei vivi, oltre che il suo corpo di donna, la sua mente.

Il dialogo con queste presenze è terso: "C'era qualcosa che mi avevano quasi insegnato / ma venni via senza averlo appreso" ("Partenza dalla foresta"). Prevalgono il silenzio, l'oscurità, l'attesa salvifica della luce in cui si ricompongano le parti spezzate del mondo e della persona. Ma a tratti fanno irruzione l'eco dei "tentacoli della notte" ("Nuovi arrivi"), i "maligni sussurri" (Id.) delle piante del bosco, una "riva bianca di teschi" ("Canzone di sirena"). E fantasmi dalle mille facce. Gli amici di un tempo che adesso, "cambiati e pericolosi", popolano spazi diversi da quelli occupati dagli umani "Saranno sempre con te, sussurrando / i loro lamenti…/ Pochi ti chiederanno aiuto / con amore, nessuno senza sgomento" ("Procedure per il sottosuolo"). I santi, che "vivono sugli alberi e si nutrono d'aria /…battono le ciglia / e la realtà trema" ("I santi"). Le ossessioni che ondeggiano fra sogno, miraggi illusori e lo sguardo solare della donna che crea vita, poesia.

reality shiver with a "blink" of an eye. In Atwood's poetry, obsessions change from dreams and illusions to the life-giving gaze of a woman, creating poetry. The poet becomes a consumate juggler, resorting to the magic of invention, to story telling; she is someone who directs herself toward the place, as in "Interlunar," where "the lake gives off its hush" and where darkness becomes light.

Liliana Madeo

E – da consumata giocoliera, usando la magìa dell'inventore di storie – si dirige là dove "il lago trasuda il suo silenzio" ("Interlunio") e vede l'oscurità diventare luce.

Liliana Madeo

Margaret Atwood's poetic landscape is a place of deep terrors, a shifting terrain of emotional and political violence, betrayal, anger and loss; it is also a landscape of love, frailty, longing. Both ominous and humorous, grim and witty, Atwood is a master of control; gradually she will reveal a drowned body beneath the still surface of a lake, or the dangers lurking behind rocks ("brutal faces forming / (slowly) / out of stone") – just as, gradually, she will reveal a deep love that can rise again, protean, from a familiar relationship (…the trick is just to hold on / through all appearances, and so we do…).

It is a physical landscape of marshland and rock, lakes and fields, a Canadian wilderness. Her urban landscape is often a restaurant, a meeting place symbolically both public and private, a place where difficult encounters and conflicts occur. The merging of public and private is evident throughout her poems; her politics is always intimate, whether she is writing about the abuse of power by the state and military, or the power politics of love. All human action – because it begets consequences and cannot avoid issues of responsibility – is political.

For over thirty years she has been exploring the politics of life, the human capacity for incuring and enduring pain. Her language is plain, incisive, sharp, relentlessly acute. A lover's "magic fork" punctures a human heart and we hear "a faint pop, a sizzle." In a harrowing sequence, in which she grapples with the silence of tortured writers, "Notes Towards a Poem That Will Never Be Written," she states: "The facts of this world seen clearly / are seen through tears."

Atwood explores various mythologies, carries their passion and terror into the present, where they continue to disturb. Yet in this unflinching vision of a world where dangers lurk and love disappears, lie pools of hope, shadowy corners where love is still damp, still alive, still possible. And this is where her poetic control is truly evident. Her poems confront the essential human irony; that our sense at injustice arises from our intimation of justice, that grief arises from love.

At the heart of the best poetry is language's struggle to conquer the inexpressible. This is the impossibility of poetry and its very possibility. As Atwood says in "Variations on the Word Love," "This word / is far too short for us, it has only / four letters, too sparse / to fill those deep bare / vacuums between the stars / that press in us with their deafness / …This word is not enough but it will / have to do." Again and again, with mastery, Atwood leads us to the places where our hu-

Il paesaggio poetico di Margaret Atwood è luogo di terrori profondi, terreno mutevole di violenza emotiva e politica, di inganno, rabbia e cose perdute; è anche il paesaggio dell'amore, della fragilità, del desiderio. Inquietante e con un senso di humour, austera ed arguta allo stesso tempo, la Atwood possiede una magistrale padronanza del verso. A poco a poco svelerà un corpo annegato sotto un'immota superficie lacustre o i pericoli in agguato dietro le rocce ("volti bruti che si formano / (lenti) dalla pietra"), proprio come, a poco a poco, svelerà un amore profondo che riaccende, proteiforme, un rapporto ormai consueto ("Il trucco è tener duro / attraverso tutte le apparenze, è così che facciamo"...).

È un paesaggio fisico di paludi e di rocce, laghi e campi, una landa desolata. Il paesaggio urbano che predilige, consiste spesso in un ristorante luogo di ritrovo che è simbolicamente tanto pubblico quanto privato, luogo dove si hanno conflitti ed incontri difficili. La fusione del pubblico e del privato risulta evidente in tutte le sue poesie; intrinseca a tutte è la sua visione politica, sia che scriva dell'abuso di potere militare o dello stato, o della politica del potere in amore. Ogni azione umana – dal momento che genera conseguenze e non può prescindere da questioni di responsabilità – è politica.

Da oltre trent'anni Margaret Atwood esplora la politica della vita, la capacità umana di affrontare e sopportare il dolore. Il suo linguaggio poetico è semplice, incisivo, tagliente, inesorabilmente perspicace. La "forchetta magica" di un amante ci punge il cuore e ci fa sentire "un fievole schiocco, uno sfrigolio". Nei versi toccanti in cui è alle prese col silenzio di scrittori perseguitati, "Note per una poesia che non sarà mai scritta", afferma: "I fatti di questo mondo veduti chiaramente / si vedono attraverso le lacrime".

La Atwood esplora varie mitologie e ne trasfonde passione e terrore nel presente, dove continuano ad inquietarci. Tuttavia in questa risoluta visione di un mondo in cui il pericolo è in agguato e l'amore scompare, restano riserve di speranza, angoli ombrosi dove l'amore è ancora rorido, ancora vivo, ancora possibile. È qui che il suo controllo del verso è evidente. Le sue poesie espongono in un chiaro confronto l'ironia propria della natura umana; l'ironia per cui dal nostro senso dell'ingiustizia scaturisce la percezione della giustizia, dall'amore il dolore.

Insito nella migliore poesia è lo strenuo impegno della lingua a conquistare l'inesprimibile. Qui stanno l'impossibilità della poesia come pure le sue stesse possibilità. La Atwood in "Variazioni sulla parola amore" afferma: 'Questa parola è di gran lunga troppo breve

man choices are the most difficult and the most crucial. With her typically clear gaze she explores an essential theme: "You can / hold on or let go."

Anne Michaels

per noi, ha solo / poche lettere, troppo poche / per riempire quelle profonde nude lacune tra le stelle / che con la loro sordità premono su di noi /...Questa parola non è sufficiente ma / dovrà bastare". Ed ogni volta, con maestria, la Atwood ci conduce ai luoghi dove le nostre scelte umane sono le più difficili e le più cruciali. Con il suo tipico limpido sguardo esplora un tema fondamentale: "Puoi / tener duro o mollare".

Anne Michaels

I still remember the first time I read "The Circle Game" by Margaret Atwood. To paraphrase Emily Dickinson's proverbial test for a great poem, it took the top of my skull off. I hadn't heard a woman's voice quite like that before: humorous, erudite, as sharp as a tack. No charming deference, just straight power. She spoke about the things that matter: love and the games we play out of our vulnerability and loneliness.

Part of the deep pleasure in reading Margaret Atwood's poetry is the demands she makes on the mind. Something is always going on beneath the brilliant surface of her poems. She may be rewriting the Odyssey from the perspective of the women in the epic, exhuming the mythological substructures that prescribe and shape our relationships with each other, or playing with the fairytales that lace through popular culture. These echoes, allusions, and traditions buried as subtexts give resonance. Her versatility is remarkable.

She is consummately Canadian. Her father was an entomologist who often conducted his research in the field, and the family spent much of her childhood in the north woods of Quebec. Through her work is threaded an intimate understanding of nature and nature's power. This surfaces in arcane biological references or in her sense of the chaos that exists at the edge of things. She often sees ordinary things in surreal, hushed, Gothic ways. Nature can turn on us, she seems to say, and we would do well to respect it.

As with all fine poetry, the deepest pleasure of an Atwood poem comes from her control of language. She plays with the mercurial capacity of words to create reality, to gives us back the world renewed and different. She affirms the power of art. Art is an essential human activity. The human mind needs it to stay alive.

Rosemary Sullivan

Ricordo ancora quando lessi per la prima volta "Il gioco del cerchio" di Margaret Atwood. Secondo la proverbiale espressione di Emily Dickinson, una poesia è grande se ti apre la testa. Mai avevo sentito una simile voce di donna: arguta, erudita, capace di trafiggere come un chiodo. Priva dell'ossequio accattivante, fatta solo di pura energia. Parlava di cose che contano: l'amore e i giochi che vulnerabilità e solitudine ci spingono a fare.

Parte del profondo piacere che proviamo nel leggere la poesia di Margaret Atwood deriva dal suo modo di coinvolgerci intellettualmente. Accade sempre qualcosa sotto la brillante superficie dei suoi versi. Può darsi che la troviamo a riscrivere l'Odissea secondo la prospettiva delle donne di quell'epica, esumando strutture mitologiche nascoste che prescrivono e informano le nostre reciproche interrelazioni, oppure la troviamo a giocare con le fiabe che si intrecciano nel tessuto delle nostre tradizioni popolari. Queste allusioni, echi e tradizioni risuonano dal profondo del testo con grande versatilità.

La Atwood è intrinsecamente canadese. Suo padre era un entomologo che spesso conduceva ricerche sul campo ed ella trascorse gran parte dell'infanzia con lui e la famiglia nelle foreste settentrionali del Quebec. Tutta la sua opera è pervasa da un'intima consapevolezza della natura e della forza della natura. Ciò emerge dagli arcani riferimenti alla biologia o dal suo senso del caos avvertibile al margine delle cose. Spesso vede la realtà ordinaria in forme surreali, sommesse, gotiche. La natura ci si può rivoltare contro, sembra dire, e sarà bene che noi la rispettiamo.

Come accade sempre con la vera poesia, il piacere più profondo che una lirica della Atwood può procurare deriva dal suo controllo della lingua. Gioca sulla mutevole capacità delle parole nel creare la realtà, nel restituirci il mondo rinnovato e diverso. Afferma il potere dell'arte, attività essenziale per l'umanità. La mente umana ne ha bisogno per rimanere viva.

Rosemary Sullivan

The vengeful gods of old times are neutralized in museums; and saints and deities have now lost all their powers. So says Margaret Atwood. If ever they were able to help us in the past, they no longer can do so. One could say they were only 'wishful thinking' as in "The Saints" and "Sekhmet" They too wish they could be good and heal those who implore them, but they cannot. In the poem, "They Eat Out," for example, the author's double identity climbs to heaven clad in blue and red: the oneiric ascent is, admittedly, an ambitious claim to immortality: "the cealing opens / a voice sings Love Is A Many / Splendoured Thing / You hang suspended above the city / in blue tights and a red cape, / your eyes flashing in unison." Yet for a poet to neutralize deities is dangerous, similar to throwing away an apple while trying to keep its core. Poets are to have some kind of faith or at least be privy to superstitions. Even those poets who, unfortunately, have no faith, must endeavour to attain some, for it is not by chance that the poetic soul has always entertained long conversations with the moon.

With gods and demons now gone, what causes Margaret Atwood's poetry, at this millennium, to rise and grow? What elevates it from the gloomy marshland of literalness and a too literary reality? Humour and ghosts: both of which share a sense of lightness. In order not to fall dead "as a dead body falls" for an excess of actuality or of quotations, Margaret Atwood's verse often avails itself of a postmodern humour which, being thus broken into little bits, becomes exquisite and marvelously easy to digest. However our interest as readers is awakened the very moment when humour and postmodernism are overcome, when we are allowed to perceive space as a complex whole, as we risk getting lost in it, when we are obliged to move from sight to the vision. This happens if the wind whirls into the house through the open windows, creating an empty nothingness: "Through the slit of our open window, the wind / comes and flows around us, nothingness / in motion, like time. The power of what is not there." ("Shapechangers in Winter"). But then, "What is here"? Even material bodies undergo transformations and become immaterial, incandescent, impalpable. ("Morning in the Burned House"). Poetry and its ghosts have marked a point, asserting "the power of what is not there."

To measure oneself against nothingness – what is not there – is a task worth of a poet. For, after all, humour is a defensive as well as an offensive weapon. As to the masks, inevitably there comes the moment when they are bound to fall. "Don't ever / ask for the true story" pleads postmodern Atwood. Nevertheless we ask her for it, and she is able to give it to us.

Bianca Tarozzi

Le divinità vendicative sono neutralizzate nelle sale del museo, i santi e gli dei non hanno più alcun potere, afferma Margaret Atwood. Semmai ci hanno aiutato, ora non ci aiutano più; erano un pio desiderio, un "wishful thinking". ("I santi", "Sekhmet" ecc.). Perfino loro vorrebbero essere buoni e guarire chi li supplica, ma non ci riescono. È un doppio dell'autrice, dunque, a salire in cielo vestito di azzurro e di rosso: la sua ascensione onirica è un'ambiziosa pretesa di immortalità: "il soffitto s'apre / una voce canta L'Amore È Una / Cosa Meravigliosa / pendi sospeso sulla città / in calzamaglia azzurra e cappa rossa, / gli occhi lampeggianti all'unisono". ("Mangiano fuori"). Neutralizzare gli dei è però un'operazione pericolosa, per un poeta, quanto buttar via la mela e tenersi il torsolo. Al poeta è necessaria una fede o almeno una superstizione: se anche disgraziatamente non ce l'ha, a questa deve giungere suo malgrado. Non è un caso che i poeti abbiano sempre parlato così a lungo con la luna.

Ma scomparsi gli dei, a fine millennio, cosa fà lievitare la poesia di Margaret Atwood, cosa la solleva dalla triste palude della realtà troppo letterale o troppo letteraria? Humour e fantasmi: cose entrambe leggere. Per non cadere "come morto corpo cade" a causa di un eccesso di realtà o di citazioni, i versi di Margaret Atwood si avvalgono spesso di uno humour postmodernista che così ridotto in pillole è squisito e meravigliosamente digeribile. Tuttavia il nostro interesse di lettori scatta nel momento in cui humour e postmodernismo sono superati, quando si tratta di percepire lo spazio nel suo complesso insieme accettando il rischio di perdersi in esso, quando il passaggio d'obbligo è dalla vista alla visione. Questo accade se il vento gira a vuoto nella casa dalle finestre aperte, ed è vuoto nulla: "Attraverso la fessura della finestra socchiusa, il vento / entra e ci avvolge, il nulla / in movimento, come il tempo. Il potere di ciò che non c'è". ("Metamorfosi invernale"). Ma allora, che cosa c'è? Perfino i corpi materiali subiscono delle metamorfosi e diventano immateriali, incandescenti, impalpabili ("Mattino nella casa bruciata"). La poesia e i suoi fantasmi hanno segnato un punto, e affermano "il potere di ciò che non c'è".

Misurarsi col nulla – "what is not there" – ecco il compito adatto a un poeta. Perché in fin dei conti lo humour è difensivo, oltre che aggressivo, e quanto alle maschere, arriva sempre il momento in cui cadono. "Non chiedere mai / la vera storia", supplicava l'autrice postmoderna. Ma noi gliela chiediamo, e lei può darcela.

Bianca Tarozzi

Branko Gorjup vive a Roma ed insegna Letteratura Canadese alla Libera Università degli Studi "S. Pio V." Ha curato per Longo, in questa stessa serie: Irving Layton, *Il cacciatore sconcertato / The Baffled Hunter*, con F. Valente, disegni di Enzo Cucchi, traduzione di F. Valente, 1993; Gwendolyn MacEwen, *Il Geroglifico Finale / The Last Hieroglyph*, disegni di Sandro Chia, traduzione di F. Valente, 1997; P.K. Page, *Rosa dei venti / Compass Rose*, disegni di Mimmo Paladino, traduzione di F. Valente, 1998; Al Purdy, *Pronuncia i nomi / Say the Names*, disegni di Giuseppe Zigaina, traduzione di Laura Forconi, Caterina Ricciardi e Francesca Valente, 1999.

Branko Gorjup lives in Rome and teaches Canadian Literature at the University "San Pio V." He has edited for Longo selections of poems by Irving Layton (*Il cacciatore sconcertato / The Baffled Hunter*, translated by F. Valente, 1993); Gwendolyn MacEwen (*Il Geroglifico finale / The Last Hieroglyph*, translated by F. Valente, 1997); P.K. Page (*Rosa dei venti / Compass Rose*, translated by F. Valente, 1998); and Al Purdy (*Pronuncia i nomi / Say the Names*, translated by L. Forconi, C. Ricciardi, F. Valente, 1999).

Branko Gorjup

Introduction
Introduzione

Where do the words go
when we have said them?

Margaret Atwood, "The Small Cabin"

Most writers tend to write the same book or poem over and over again, expanding its scope and refining its variants. Margaret Atwood, however, continues to re-invent herself as she re-invents her characters and her poetic personae with every new work. Each novel, each new poetry collection, signals a departure, a turn in an unexpected direction. Each becomes a daring journey that expands the reader's consciousness and subverts expectations. Although Atwood's characters can be anything from cold-blooded torturers of bodies and souls to the determined healers of wounded and dying cultures and environments, they inhabit a world that is contemporary and familiar. Her most common settings are the primordial Canadian wilderness – the great green whale (leviathan) of the Canadian imagination – and the artificial urban enclosures dominated by a rational, narcissistic, language-driven culture. Both provide Atwood with a powerful metaphor for a divided self in a fragmented world.

Atwood was born in 1939 in Ottawa, into an English Canadian family of Nova Scotian ancestry. As a teenager she grew up in suburban, middle class Toronto, but she often followed her entomologist father into the northern bush land of Ontario and Quebec on his extended field trips to study and collect insects. Many of Atwood's representations of the natural world, as physical setting and metaphor, come from her first-hand experiences.

Her post-secondary education at Victoria College, University of Toronto, would have been rather typical of the time and place had she not met in the late 1950s the critic, Northrop Frye. His theories led her, as they did other emerging poets associated with Victoria – James Reaney, Eli Mandel and Jay MacPherson – toward myth and archetype. From this period – coinciding with her first-published collection of poems, *Double Persephone* (1961) – Atwood would use myth as an essential vehicle for the transmission of her themes. In each subsequent book, as Rosemary Sullivan has pointed out, her central focus is on "the role of mythology, both personal and cultural, in the individual

Dove vanno le parole
quando le abbiamo pronunciate?

Margaret Atwood, "Il cottage"

Molti scrittori scrivono e riscrivono lo stesso libro o la stessa poesia ampliandone l'intento e affinandone le varianti. Margaret Atwood, invece, continua a reinventare se stessa con ogni sua opera, reinventando personaggi e *personae*. Ogni nuovo romanzo, o raccolta di poesie, segna un punto di partenza, una svolta in una direzione inaspettata, per divenire un intrepido viaggio che amplia la coscienza del lettore e sovverte le aspettative. I personaggi della Atwood possono essere tutto, dal gelido torturatore di anime e corpi fino al taumaturgo di culture e paesaggi tormentati e morenti, nondimeno essi abitano un mondo a noi contemporaneo e familiare. Le sue opere sono per lo più ambientate nello sconfinato spazio primordiale del Canada – la grande balena verde o Leviatano dell'immaginario canadese – o entro gli artificiali confini urbani di una cultura dominata dalla lingua, narcisistica e razionale. In entrambi i casi lo scenario rappresenta per la Atwood una efficace metafora dell'io che si sdoppia in un mondo frammentato.

Nata a Ottawa nel 1939 da una famiglia anglo-canadese della Nuova Scozia, Margaret Atwood trascorse l'adolescenza nei quartieri periferici della Toronto borghese, ma spesso seguì il padre nei viaggi di studio da lui intrapresi come entomologo alla ricerca di insetti nelle foreste dell'Ontario e del Quebec. Molte delle rappresentazioni che la Atwood ci offre del mondo naturale, come scenario fisico e come metafora, derivano dalla sua diretta esperienza personale.

I suoi studi presso il Victoria College dell'Università di Toronto potrebbero rappresentare un normale percorso educativo tipico del tempo e delle circostanze, se non fosse per il suo incontro con Northrop Frye verso la fine degli anni Cinquanta. Le teorie di Frye portarono la Atwood – così come altri poeti provenienti dal Victoria College, James Reaney, Eli Mandel e Jay MacPherson – verso il mito e l'archetipo. Fu da quel periodo – durante il quale apparve la sua prima raccolta di poesie, *Double Persephone* (1961) – che la Atwood fece del mito il veicolo fondamentale per esprimere i propri temi. Tutte le sue successive pubblicazioni saranno incentrate, come ha osservato Rosemary

life." Like Frye, Atwood is fascinated "by the conventions that lie behind" ordinary experience, by the mythological substructures of contemporary culture.

After her first degree at Victoria, Atwood went on to Radcliffe College, Cambridge, U.S., where she received her M. A. and then to Harvard University to work on a Ph.D. – the subject of her thesis was English Metaphysical Romances. Her stay in U.S. opened her eyes to the differences that divide the two countries – differences that had seemed to people, including most Canadians, imperceptible. Like her early experience of the Canadian bush, Atwood's experience of the American civic wilderness, which coincided with the swelling tide of American imperialist fever that culminated in the Vietnam catastrophy, played a crucial role in the formation of her politics. Later, in *Surfacing* (1972) and *Survival: A Thematic Guide to Canadian Literature* (1972), she would articulate her views, among them the fundamental distinction to be drawn between Canadian and American identities – the former being in a continual state of uncertainty and transformation, the latter permanently confident and in full control of its environment.

In the early 1980s, Eli Mandel, a prominent Canadian poet and critic, described Atwood not only as a "major" Canadian poet, but also "very likely the best." Mandel emphasized – as many other critics have done since – Atwood's strong impulse towards community, or, what Sullivan has called, her "civic consciousness." Behind this impulse we find a Canadian habit of mind, which is, to borrow Atwood's own definition, "synthetic" – every detail must fit into an all-embracing system – an impulse to which Atwood, like Northrop Frye and Marshall McLuhan, has responded. The reference to a *Canadian* habit of mind inevitably draws our attention not only to the poet's desire to incorporate all disparate elements into one body but to a specific place named Canada and a specific civic consciousness that is its Canadian sensibility. In other words, the central organizing principle that has persistently informed Atwood's imaginative and critical writing, to use Sherrill Grace's words, is the idea of "coherence through contexts." The contexts in Atwood are many but two have played key roles in the shaping of her imagination – the land, the Canadian landscape – frequently represented as the female body – and the land's history, made available through the retrieval of memory.

More than any Canadian author of her generation, Atwood has reconstituted Canada's imaginative space by re-reading the old colonial

Sullivan, sul "ruolo della mitologia, sia personale che culturale, nella vita dell'individuo". Come Frye, la Atwood è affascinata dalle convenzioni che sottendono la vita quotidiana, dalle strutture mitologiche profonde che sono alla base della cultura contemporanea.

Dopo una prima laurea al Victoria College, la Atwood proseguì gli studi negli Stati Uniti al Radcliffe College di Cambridge, dove ottenne il Master of Arts, e poi a Harvard dove conseguì un dottorato con una tesi sul *romance* inglese. Il suo soggiorno negli Stati Uniti le rivelò le differenze che dividono Stati Uniti e Canada – differenze che a molti, perfino alla maggior parte dei canadesi, erano risultate fino ad allora impercettibili. Insieme alla sua esperienza di adolescente nelle foreste canadesi, di cruciale importanza nella formazione 'politica' della Atwood furono gli anni vissuti nelle desolate città americane, proprio nel momento della dilagante ondata di imperialismo che culminò nella catastrofe del Vietnam. Le idee che avrebbe formulato in seguito, con *Surfacing* (1972) e *Survival: A Thematic Guide to Canadian Literature* (1972) formulavano il concetto di una fondamentale linea di demarcazione tra identità canadese e americana – essendo la prima in un continuo stato di incertezza e di trasformazione e la seconda perennemente sorretta da fiducia nella propria capacità di pieno controllo del mondo circostante.

Nei primi anni Ottanta, il noto critico e poeta canadese Eli Mandel osservava che la Atwood non era solo una significativa poetessa canadese, ma addirittura, molto probabilmente "la migliore". Mandel – come molti altri critici dopo di lui – ha sottolineato il forte impulso della Atwood verso la comunità, o verso quella che la Sullivan ha chiamato "consapevolezza civica". Dietro questo "impulso" troviamo una forma mentis tutta canadese che la stessa Atwood definisce "sintetica", nel senso che tende a collocare ogni singolo dettaglio in un "sistema onnicomprensivo". E la Atwood ha risposto a questo impulso come Northrop Frye e Marshall MacLuhan. Il riferimento a una forma mentis *canadese* richiama inevitabilmente la nostra attenzione non solo sull'aspirazione poetica ad incorporare elementi disparati in un unico insieme organico, ma anche verso un luogo specifico che si chiama Canada, e verso quella "consapevolezza civica" di cui è costituita la sensibilità canadese. In altre parole, il principio organizzatore fondamentale che ha persistentemente informato l'opera critica e immaginativa della Atwood è, come ha notato Sherill Grace, l'idea della "coerenza nei contesti". I contesti nella Atwood sono molti, ma due hanno avuto un ruolo precipuo nel forgiare la sua immaginazione: la terra canadese – frequentemente rappresentata come corpo di donna – e la sto-

and national maps and by re-vocalizing Canada's voices only tentatively present in the country's cultural memory. She has consciously positioned herself, wrote Sandra Djwa, in the middle of the Canadian literary landscape, where she oriented herself by "filtering Canadian experience through archetypes and her poetic sensibility." And what sort of an environment was this "Canadian literary landscape" in the early 1960s, when Atwood set out to be a writer? Certainly it was a paradoxical place, offering two very different possibilities. On the one hand, there was what John Ayre described as an older generation of poets who were "locked into alienated colonialist attitudes," deferring "the liberation of the national arts and the creation of a uniquely Canadian artistic idiom." These were attitudes against which a writer like Atwood could define her nationalistic radicalism. On the other hand, the place gave her, as she revealed in an interview with Graeme Gibson, the chance to become an inheritor of an already existent literary tradition. Unlike the poets of previous generations – Archibald Lampman, A.J.M. Smith and P.K. Page, among others – Atwood did not have to look outside Canada for models. Instead, she found them at home, claiming these models as her literary progenitors.

Atwood's Canadian grounding, however, has never meant insular thinking or indifference to literary and cultural movements outside of Canada and outside social and political issues. Her writing, especially fiction, which Atwood has described as a "social vehicle," has dealt with a multiplicity of urgent questions – from the destruction of the environment, the role of women in society and the spiritual alienation caused by consumerism, to the desensitizing nature of mass culture and the loss of individual liberties. Each of these questions has been addressed separately and in depth in individual novels – from *The Edible Woman* (1969), *Surfacing* (1972), *Lady Oracle* (1976), *Life Before Man* (1979) to *The Handmaid's Tale* (1985), *Cat's Eye* (1988), *The Robber Bride* (1993) and *Alias Grace* (1996). But all were brought into play in *The Handmaid's Tale,* Atwood's starkest and most socially focused work of fiction. Described by critics as a futuristic dystopia, *The Handmaid's Tale,* though cast in the future, reflected the present and past. The Republic of Gilead, the novel's setting, therefore strikes the reader as a very familiar place. Atwood has often pointed out that nearly all the features and practices of Gilead have in fact existed at some point in our history. But she has combined them into a fictional nightmare where there is no balm but only excessive patriarchy, political totalitarianism and religious fundamentalism. Yet the theme that connects to all the others, is the backlash against feminism.

ria di quella terra, resa accessibile tramite il recupero della memoria. Più di qualsiasi altro autore della sua generazione, la Atwood ha ricostituito lo spazio immaginativo del Canada rileggendo le antiche mappe coloniali e nazionali e rivitalizzando voci che echeggiavano solo debolmente nella memoria culturale della nazione. Come ha scritto Sandra Djwa, Margaret Atwood si è deliberatamente collocata "proprio al centro del paesaggio letterario del Canada" nel quale si è orientata "filtrando l'esperienza canadese attraverso gli archetipi e attraverso la propria sensibilità poetica". E quale era l'ambiente che costituiva questo "paesaggio letterario del Canada" all'inizio degli anni Sessanta quando la Atwood intraprendeva la carriera di scrittrice? Era certamente un territorio paradossale che presentava due distinte possibilità. Da una parte vi era quella che John Ayre chiamò la vecchia generazione di poeti i quali, "rinchiusi in alienate posizioni colonialiste", ritardavano "l'emancipazione artistica nazionale e la formazione di un idioma intrinsecamente canadese". Contro le loro posizioni una scrittrice come la Atwood aveva la possibilità di definire il proprio radicalismo nazionalista. D'altra parte, come lei stessa dichiarò in un'intervista rilasciata a Graeme Gibson, quel territorio le dava l'opportunità di farsi erede di una pre-esistente tradizione letteraria. A differenza dei poeti delle generazioni precedenti – ad esempio Archibald Lampman, A.J.M. Smith e P.K. Page – Margaret Atwood non dovette cercare modelli da seguire al di fuori del Canada. Al contrario, trovò in patria i modelli da poter rivendicare come suoi progenitori letterari.

La formazione canadese della Atwood, tuttavia, non ha mai comportato ristrettezza di vedute o indifferenza a movimenti letterari e culturali al di là del Canada e delle istanze sociali e politiche. La sua opera, specialmente quella narrativa, da lei definita "veicolo sociale", ha affrontato molteplici pressanti questioni del mondo contemporaneo – dalla distruzione dell'ambiente al ruolo della donna nella società; dall'alienazione spirituale determinata dal consumismo agli effetti desensibilizzanti della cultura di massa fino alla perdita della libertà individuale. Ciascuna di queste problematiche viene affrontata separatamente nei romanzi che vanno da *The Edible Woman* (1969), *Surfacing* (1972), *Lady Oracle* (1976), *Life Before Man* (1979) a *The Handmaid's Tale* (1985), *Cat's Eye* (1988), *The Robber Bride* (1993) e *Alias Grace* (1996). Ma tutte quante si intrecciano nella tematica di *The Handmaid's Tale*, la più cruda tra le opere della Atwood e quella con maggiori implicazioni sociali. Definito dai critici romanzo futurista distopico, *The Handmaid's Tale*, per quanto proiettato nel futuro, rispecchia situazioni del presente e del passato. La Repubblica di

She could not help but underline this reactionary threat to progressive ideas, this legitimizing of political tyranny in Gilead.

No introduction, to Atwood's writing in general, and her poetry in particular, would be satisfactory without pausing for a moment over her second and perhaps most influential novel – at least from a Canadian point of view – *Surfacing*. In it, as in so much of her poetry written around the same time, Atwood dramatized, among other things, Western civilization's obsession with a death wish as it played itself out in the primordial Canadian wilderness. The unnamed heroine of the novel significantly stripped away the multiple layers of masculinist conventions – "masculinist" here should be taken in a broader sense to include Western patriarchy – that have been designed to rationalize the meaning of life. She set to achieve coherence, a wholeness, to close the gap between subject and object, between the self and the "other" that had opened up – to borrow Northrop Frye's words – with the birth of an egocentric Cartesian consciousness. This split consciousness is equated with "Americanism," a label that does not necessarily stand for race, nation or culture, but rather for an ideology committed to the ascendency of a technological civilization.

Excluding *Double Persephone*, which appeared as a pamphlet, Atwood has published twelve collections of poetry, including her *Selected Poems* in two separate volumes, (1976), (1990). Her first 'legitimate' collection, *The Circle Game* (1966), was given Canada's highest literary recognition, the Governor General's Award. For Atwood, this cleared the way for a rapid ascendency – within a decade she would become one of the country's most influential authors. As for Canadian writing, it signaled the emergence of a new vitality, a change of heart, demanding that the old colonial mental maps be re-drawn and re-conceptualized. *The Circle Game* challenged any insularity in the Canadian psyche, urging it to stumble out into the open unprotected world, without fear and paranoia, to search for ways to co-exist with threatening shadows – the shadows being the overwhelming presence of the unknown – to "want the circle / broken."

The Circle Game introduced into the Canadian poetic vocabulary a language that would become known as the Atwoodian idiom – direct, unadorned and accessible, noted for precision, a stiletto pointedness, and an emotional detachment. It also introduced several of Atwood's key preoccupations, including that of perception – how do we see ourselves, others, and the world we inhabit? Is seeing deception, a gross distortion of reality? Can anything be seen clearly? Can the clarity of

Gilead, nella quale il romanzo è ambientato, colpisce pertanto il lettore come luogo familiare. La scrittrice ha spesso ribadito che quasi tutte le caratteristiche e le pratiche di vita di Gilead sono di fatto esistite in qualche momento della nostra storia. Ma lei le ha fuse insieme trasponendole immaginativamente in un mondo allucinante in cui incombono senza tregua autoritarie regole patriarcali, totalitarismi politici, fondamentalismi religiosi. Tuttavia, il tema predominante è quello dell'intolleranza antifemminista. La Atwood non poteva fare a meno di denunciare questa minaccia reazionaria contro le idee progressiste in atto nella Repubblica di Gilead, questa legittimazione del dispotismo politico.

Una adeguata introduzione all'opera della Atwood, e in particolare alla sua poesia, non può prescindere da una breve analisi di *Surfacing*, il suo secondo romanzo e forse quello che ha avuto – almeno per quanto riguarda il Canada – maggiore seguito. *Surfacing* presenta il *cupio dissolvi* del mondo occidentale descrivendone il disfacimento nel desolante scenario primordiale del Canada. È significativo come l'eroina senza nome del romanzo strappi via i molteplici strati delle convenzioni maschiliste (anche nel senso in cui il termine si applica all'egemonia patriarcale dell'Occidente), di quelle convenzioni, cioè, che sono state ideate nel tentativo di razionalizzare il significato della vita. La donna si impegna a raggiungere la coerenza e la completezza con le quali poter colmare il divario tra soggetto ed oggetto, tra l'io e l'altro' – divario che si è formato, secondo quanto sostiene Northrop Frye, col nascere di una egocentrica coscienza cartesiana. Questo divario della coscienza viene etichettato con il termine 'americanismo', che non sta necessariamente a significare ciò che attiene alla razza, nazione o cultura, ma che implica, piuttosto, una ideologia tutta tesa a sostenere la supremazia della civiltà tecnologica.

Escludendo *Double Persephone*, che apparve come pamphlet, la Atwood ha pubblicato dodici raccolte di poesia comprendenti anche i *Selected Poems* nei due volumi del 1976 e del 1990. La sua prima raccolta 'ufficiale', *The Circle Game* (1966), ricevette il più alto riconoscimento letterario del Canada, il Governor General's Award. Per la Atwood, questo significò trovarsi la strada spianata per una rapida ascesa – che nell'arco di un decennio l'avrebbe portata a collocarsi tra i più influenti autori della nazione. Quanto alla letteratura canadese, questo riconoscimento segnalò l'emergere di una vitalità nuova, un diverso sentire che rendeva necessario ridisegnare e riconcettualizzare le mappe mentali di vecchio stampo coloniale. *The Circle Game* inci-

perception guarantee that the object perceived is true or real? Or, should we not invert this order – as Atwood suggests in "Notes Towards a Poem That Can Never Be Written" – and assume that "The facts of this world seen clearly / are seen through tears" – that is, blurred? In one of her most anthologized poems, "This Is a Photograph of Me," the reality in the photograph, which itself is in the poem, is partly revealed, but mostly hidden. Light, as darkness, we are told, can distort reality – "the effect of water / on light is distortion" – the "smeared print" can reveal the truth. Sherill Grace defined this duality as "the poetics of duplicity" – duplicity referring to deceit and doubleness – which in Atwood, as we shall see later, is both thematic and structural.

The poetic trope of doubleness, when carried over into the field of Canadian experience, was most extensively dealt with in Atwood's two following collections, *The Animals in That Country* (1968) and *The Journals of Susanna Moodie* (1970). In *The Journals of Susanna Moodie*, a book of inter-linked poems, Atwood turned to a primal Canadian experience embodied in the person and work of Susanna Moodie, Canada's first significant immigrant writer. What Atwood detected in Moodie's *Roughing It in the Bush* – a fictionalized autobiography published in 1852 – was the heroine's internalization of the tension between an orderly universe, the civilization she had left, and the chaotic, unpredictable Canadian wilderness she had entered, a wilderness that was not "the absence of order" but "an ordered absence." Moodie's first-generation immigrant experience, appears as a second-generation experience in Atwood's *The Journals*, taking on the feel of what Atwood has said was the "national mental illness," paranoid schizophrenia.

Atwood's Moodie becomes the very symbol of duplicity – everything she looks at she perceives in terms of a double vision. "Two voices / took turns using my eyes," confesses Moodie. "One saw through my / bleared and gradually / bleached eyes, red leaves, / the ritual of seasons and rivers / The other found a dead dog / jubilant with maggots / half-buried among the sweet peas." And Moodie, Atwood says, finally "turned herself inside out" becoming "the spirit of the land she once hated."

The following collection, *Procedures for Underground* (1970), with its references to Aboriginal mythology, features Atwood's descent into the transaction between the spirit of place, characterized by ancestral voices, and the phenomenal place, the land of the present living. The poem's underworld is depicted as an inverted ordinary reality – "the earth has a green sun / and the rivers flow backwards" – and the jour-

tava la psiche canadese a superare ogni forma di chiusura, la esortava ad uscire dal riparo, a mettersi allo scoperto nel mondo, libera da timori e paranoie, nel tentativo di arrivare a una coesistenza con le ombre minacciose dell'ignoto in modo che "il cerchio si rompa".

The Circle Game introdusse nel vocabolario poetico canadese un linguaggio che sarebbe divenuto il noto idioma atwoodiano – una lingua diretta, disadorna e accessibile, affilata come uno stiletto, che si distingue per precisione e distacco emotivo. Introdusse anche alcuni motivi chiave, incluso il problema della percezione. Come vediamo noi stessi, gli altri e il mondo che abitiamo? La vista è una ingannevole, grossolana distorsione della realtà? Esiste una percezione chiara? E una chiara percezione può garantire che l'oggetto percepito sia vero o reale? O dovremmo invertire i termini – come la poetessa suggerisce in "Notes Towards a Poem That Can Never Be Written" – e presupporre che "I fatti di questo mondo veduti chiaramente / si vedono attraverso le lacrime", vale a dire, offuscati? In una delle poesie di questa raccolta, "This Is a Photograph of Me", la realtà della fotografia, e anche della poesia, in parte viene rivelata, ma per lo più rimane nascosta. La luce, come l'oscurità, può distorcere la realtà – "l'effetto dell'acqua / sulla luce inganna" – la verità può essere dunque rivelata da "una copia sciupata". Sherill Grace definì questo dualismo di visione "la poetica della duplicità" – intendendo per duplicità inganno e doppiezza – che nella Atwood, come vedremo in seguito, è dualismo sia tematico che strutturale.

Il tropo poetico della duplicità, trasposto nell'esperienza canadese, è trattato ampiamente nelle seguenti raccolte: The Animals in That Country (1968) e The Journals of Susanna Moodie (1970). Con The Journals of Susanna Moodie, un libro di poesie collegate tra loro, la Atwood considera la primordiale esperienza canadese rappresentata dalla persona e dall'opera di Susanna Moodie, la prima scrittrice di una certa importanza immigrata in Canada. Ciò che la Atwood evidenzia attingendo a Roughing It in the Bush, un'autobiografia romanzata pubblicata nel 1852, è il modo in cui l'eroina aveva interiorizzato la tensione tra l'ordinato universo della civiltà che si era lasciata dietro e lo sterminato spazio canadese in cui si era addentrata, dove il caos imprevedibile non era "assenza di ordine" ma "ordinata assenza". L'esperienza vissuta dalla Moodie, da immigrante di prima generazione nei Journals di Margaret Atwood si presenta come esperienza di seconda generazione, assumendo quel carattere di paranoia schizofrenica in cui la stessa scrittrice ha ravvisato la "malattia mentale della nazione".

La Moodie della Atwood diviene il simbolo per eccellenza della

ney retraces an evolutionary path through the "tunnels" and "burrows" to "the cave in the sea / guarded by the stone man." As in Greek mythology, this is a dangerous place, yet it is a place of "wisdom and great power" once we know how to "descend and return safely."

If there is a deity presiding over such a world, it is not a Christian sky-god, hovering over His creation, promising an apocalyptic separation of white and black sheep. This deity is a presence from within the world she endlessly destroys and re-creates, a world where the imagination erases temporal boundaries, where time is collapsed and everyone is forever present. This land is not empty of memory; it overflows with it. We must not forget those who, to use Al Purdy's lines, "had their being once / and left a place to stand on." If we do, if we forget them, they might get angry and, as in her poem "The Progressive Insanities of a Pioneer," help destroy our sanity.

The next two volumes, *Power Politics* (1971) and *You Are Happy* (1974), explore the consciousness of sexual politics in contemporary relationships between men and women and the meaning of language from which such relationships are constructed. The exploration itself draws, in a well-established Atwoodian manner, on natural imagery and on both popular and classical archetypes. Its field of action is an internal landscape of the female speaker located within the realm of a displaced reality. We enter her psyche's hall of mirrors, witnessing what she must experience while journeying through a refracted landscape of distortion, menace and terror. The synthetic landscape here belongs to the genre of the Gothic and, as in Gothic fictionalizing, it becomes an aesthetic symbol for the soul's fear of disintegration in the face of an inhuman natural universe and humanity's ability to invent its own terrible monsters. The lines introducing *Power Politics* – "you fit into me / like a hook into an eye / a fish hook /an open eye" – are indicative of the type of violent male-female encounters that Atwood sets out to explore and possibly transcend.

The violent imagery in *Power Politics* is predicated on an inherent oppression of women by men as well as on the entrapment of the female image within social, cultural and linguistic conventions. At the heart of this extraordinary sequence is the word "love," which Atwood turns into a frightening mask, hiding predatory intentions. Love, in its various manifestations, is meaningless and disposable. It is a cover for egotistical self-fulfillment and dominance of the other – in fact, it *creates* and *destroys* the other. But the speaker, the entrapped female psyche, the historical woman, bound and hanging upside down, suspended from the arm of the historical man – the faceless mailed war-

duplicità – qualsiasi cosa lei guardi le appare in termini di doppia visione. "Due voci / usarono a turno i miei occhi / Una vide attraverso i miei / occhi offuscati / e a poco a poco velati di bianco, foglie rosse / il rituale delle stagioni e dei fiumi / L'altra trovò un cane morto / ricoperto di vermi festanti / mezzo sepolto tra i piselli odorosi". E la Moodie, infine, ci dice Margaret Atwood, "rovesciò la propria natura" per divenire "spirito della terra che aveva un tempo odiato".

La raccolta successiva, *Procedures for Underground* (1970), con i numerosi riferimenti alla mitologia indigena, presenta la ricerca della Atwood di una mediazione tra spirito del luogo, caratterizzato da voci ancestrali, e luogo fenomenico, terra del presente e dei vivi. Il mondo sotterraneo della poesia è come un capovolgimento della realtà ordinaria – dove "la terra ha un sole verde / e i fiumi scorrono all'indietro" – e il viaggio ripercorre il tragitto evolutivo tra "cunicoli" e "tane" fino "alla grotta marina / sorvegliata dall'uomo della pietra". Come nella mitologia greca, il luogo è pericoloso, ma diviene, tuttavia, luogo di "sapienza e grande potere" quando riusciamo a discendervi e tornare sani e salvi.

Se c'è una divinità che aleggia su questi luoghi, non è un dio cristiano che domina sulla propria Creazione dall'Alto dei Cieli, promettendo una netta separazione apocalittica tra buoni e cattivi. Questa divinità è presenza che si sprigiona dall'interno del mondo che essa distrugge e ricrea incessantemente, un mondo dove l'immaginazione cancella gli argini temporali, dove il tempo è annientato ed ognuno è presente per sempre. Questa terra non è priva di memoria; anzi, ne è ricolma. Non bisogna dimenticare coloro che, come nei celebri versi di Al Purdy "ebbero un tempo le loro presenze / e lasciarono un luogo in cui stare". Altrimenti, se li dimentichiamo, essi potrebbero adirarsi e, come nella poesia "Progressive Insanities of a Pioneer", contribuire a distruggere il nostro equilibrio mentale.

I due volumi successivi, *Power Politics* (1971) e *You Are Happy* (1974), svolgono un'indagine sulla 'politica' che governa le relazioni tra uomo e donna nel mondo contemporaneo e sulle valenze linguistiche con cui tali relazioni sono costruite. Secondo la consolidata maniera atwoodiana, l'indagine stessa ricorre all'immaginario della natura e agli archetipi della cultura classica e popolare. Il campo di ricerca è il paesaggio interiore di un personaggio femminile che parla dall'interno di una realtà dislocata. Il lettore, pertanto, entra nella psiche della scrittrice per assistere, come in una stanza di specchi, a ciò che lei prova mentre attraversa un paesaggio che si rifrange distorto nella minaccia e nel terrore. Il paesaggio in cui si sintetizzano questi ele-

rior – shown on the cover of the book's first edition – is not the only one who is victimized here.

In her dreams, fantasies and nightmares, she creates her *own* victim and transforms herself into a victimizer – the victim is the man, locked inside a series of cultural representations, which he himself has created – from Superman to Frankenstein to Christ. This inversion of roles, however, is not as straightforward as it may appear at first sight – it is not a simple therapeutic revenge. It is rather a profound study of how the female victim ends up internalizing her status as victim, assuming the role of a fictional victimizer, only to discover its sickening effect and the guilt it produces. As Judith McComb has suggested, Atwood's sequence reflects "...the particular power politics of society where men have outward power and women have inward pain," where the "female *I* is alienated from her body and her head."

In contrast, the "Circe / Mud Poems" sequence, from *You Are Happy*, shifts our attention from a psychological to a mythological wilderness. Here, Atwood explores the theme of male quest-fixated cultural fetishism, represented by Odysseus' adventures. The reader enters the mythical dimension from Circe's perspective, the archetypal seductress of Western culture who finds her condition rather tiring, a monstrous invention of the male fantasy. Eventually she asks Odysseus: "Don't you get tired of saying Onward?" She is unimpressed by him and those like him, "with the heads of eagles." Instead, she looks "...for the others, / ...the ones who escaped from these / mythologies..."

What is evoked by this sequence is a paralleling of the mythological seafarer, Odysseus, with the colonial explorer, the pioneer from her earlier poem, "The Progressive Insanities of a Pioneer." Again, in "Siren Song," from the same collection, Atwood presents a female locked inside the body of a mythological creature, wanting out. This time she is a siren who, like Circe, renounces her prescribed destiny of always playing the role of a lethal enchantress, described as "squatting on this island / looking picturesque and mythical." She wants the "boring song" ended, she wants it transformed into a "cry for help." But, ironically, she does not succeed – the song continues to enchant, with its power intact. *Power Politics* and *You Are Happy* have added, to quote Sullivan, "a major voice" to the "feminist debate over personal relationships."

In the next five collections – *Two-headed Poems* (1978), *True Stories* (1981), *Murder in the Dark* (1983), *Interlunar* (1984) and *Morning in the Burned House* (1995) – Atwood continues to investigate familiar themes, approaching them from different angles and placing

menti appartiene al genere 'gotico' e, come tale, diviene simbolo estetico della paura che ha l'anima di disintegrarsi di fronte alla disumani-
tà dell'universo naturale e alla capacità dell'uomo di inventare terribi-
li mostri. I versi di apertura di *Power Politics* – "ti insinui dentro me /
come l'uncino nell'occhio / l'amo per pesci / nell'occhio spalancato"
– indicano quanto siano violenti gli incontri uomo-donna che la Atwood
si appresta a esaminare e, possibilmente, a trascendere.

Le violente immagini di *Power Politics* denunciano l'oppressione
subita dalle donne nel rapporto con gli uomini, così come denunciano
il modo in cui l'immagine femminile rimane irretita nelle spire delle
convezioni sociali, culturali e linguistiche. Al centro di questa straor-
dinaria sequenza di versi è la parola "amore", che la Atwood trasforma in maschera terrificante dietro la quale si nascondono insidiose
intenzioni. L'Amore, nelle sue varie manifestazioni, è un qualcosa privo
di significato da gettare dopo l'uso. È copertura di egoistico desiderio
di autoaffermazione e di dominio sull'altro – in effetti, *crea* e *distrugge* l'altro. Ma la voce narrante, l'irretita psiche femminile, la donna
storica, che, legata e appesa a capo in giù, penzola dal braccio dell'uomo storico – il guerriero senza volto ricoperto da un'armatura, raffi-
gurato sulla copertina della prima edizione – non è l'unica vittima
della situazione.

Nei sogni, nelle fantasticherie, nei suoi incubi, crea anch'essa la
propria vittima e si trasforma in carnefice. La vittima è l'uomo, rin-
chiuso entro una pluralità di rappresentazioni culturali che egli stesso
ha creato – da Superman a Frankenstein, a Cristo. Questa inversione
di ruoli, tuttavia, non è netta, come potrebbe sembrare a prima vista, e
non è semplice rivalsa terapeutica. È piuttosto uno studio approfondi-
to del modo in cui la vittima femminile finisce per interiorizzare il
proprio status di vittima, assumendo il ruolo fantastico di tormentatrice,
solo per scoprirne il disgustoso effetto e l'inevitabile senso di colpa.
Come ha notato Judith McComb, questa sequenza di versi riflette quella
particolare politica del potere propria di una società in cui "agli uomini è dato il potere esteriore e alle donne la sofferenza interiore", dove
"la donna / viene alienata nel corpo e nella mente".

La sequenza "Circe / Mud Poems", in *You Are Happy*, invece, spo-
sta la nostra attenzione dalla sconfinata desolazione della psiche a quella
della mitologia. Qui è affrontato il tema del feticismo culturale maschile caratterizzato dall'ansia di ricerca rappresentata dalle avventu-
re di Odisseo. Il lettore entra nella dimensione mitica dalla prospettiva
di Circe, l'archetipica seduttrice della cultura occidentale, la quale trova
la propria condizione piuttosto tediosa, una invenzione della fantasia

them in new contexts. The question of Canadian identity, for example – previously discussed in terms of geography, archeology, anthropology, and history – in *Two-Headed Poems* is given a sharp political focus, reinforcing Atwood's commitment to the intersection of the personal and the public. Once again, she directs our attention to what is essential in the Canadian psyche – its doubleness, its split, described as the "Siamese twin" condition. The two speaking heads, representing Canada's founding cultures, French and English, speak throughout the sequence, at times in unison and at times in contradictory terms. And like all Siamese twins, they "dream of separation." The problem in *Two-Headed Poems* is not, however, only of identity but also, and in a more universal sense, of communication – "Your language hangs around your neck, / a noose, a heavy necklace; / each word is empire, / each word is vampire and mother."

In *True Stories*, as in *The Handmaid's Tale*, Atwood turns her attention to political tyranny. In one of her darkest poems, "Notes Towards a Poem That Can Never Be Written," she targets the complacency of Canadian society by dramatizing the horrors of political abuse practiced *now* – literally as we read the poem. As individual liberties are suspended elsewhere and "the word *why* shrivels and empties / itself," in Canada, in "this country," the individual can do and say what he or she likes because "it's safe enough" here and because no one "will listen to you anyway." In that other place, people are tortured and murdered, like the woman in the poem, lying "on the wet cement floor / under the unending light," helplessly waiting for the state-torturer to judiciously kill her. "She is dying for the sake of the word," which in a country like Canada has lost its meaning and power.

This poem, however, is also about writing, about the role of the poet and the potency of poetry. Can a poem make a difference? Should poets feel morally responsible to act when things get worst? The answer to both questions seems to be yes. Yet Atwood never settles for simple solutions – let us not delude ourselves that a poem can change the world, especially the world in which "the poets are already dead." What we can do for them – for those victims – is to "make wreaths and adjectives" and "turn them into statistics & litanies / and into poems like this one," and "this poem must be written / as if you are already dead, / as if nothing more can be done / or said to save you."

Entering *Interlunar* is like entering a world in which the law of gravity has been momentarily abolished, where legend, fable, myth,

maschile. Alla fine chiede a Odisseo: "Non ti stanchi mai di dire Avanti?". Circe non è attratta da coloro che, come Odisseo, hanno "teste di aquila". Al contrario, cerca "gli altri, /...quelli che sono fuggiti da queste / mitologie...". In questa sequenza la Atwood evoca un parallelismo tra il mitico navigante, Odisseo, e l'esploratore coloniale, il Pioniere di una precedente poesia, "Progressive Insanities of a Pioneer". Ed ancora, in "Siren Song", che fa parte della stessa raccolta, la donna descritta dalla Atwood è rinchiusa dentro il corpo di una creatura mitologica e vuole uscirne. Questa volta la donna è una sirena che, come Circe, "accovacciata su quest'isola / con aria mitica e pittoresca", rinnega il ruolo fatale di ammaliatrice assegnatole dal destino. Lei vuole che il "canto tedioso" finisca, vuole che si trasformi in "un grido d' aiuto", tuttavia, ironicamente, non ci riesce; la melodia continua a incantare, mantenendo intatto il proprio potere. Possiamo affermare, con Rosemary Sullivan, che *Power Politics* e *You Are Happy* hanno arricchito con una voce fortemente espressiva il dibattito femminista sui rapporti interpersonali.

Nelle cinque raccolte successive – *Two-Headed Poems* (1978), *True Stories* (1981), *Murder in the Dark* (1983), *Interlunar* (1984) e *Morning in the Burned House* (1995) – la scrittrice continua a trattare gli stessi temi, affrontandoli, tuttavia, da angolature diverse e collocandoli in nuovi contesti. La questione dell'identità canadese, per esempio – prima trattata in termini di geografia, archeologia, antropologia e storia – in *Two-Headed Poems* assume un marcato accento politico che sottolinea l'impegno della Atwood a congiungere l'elemento personale con quello pubblico. Ancora una volta la scrittrice volge la propria attenzione all'essenza della psiche canadese – la duplicità insormontabile, quasi sindrome da 'gemelli siamesi'. Le due teste, simbolo delle culture fondanti del Canada, la francese e l'inglese, parlano per tutta la sequenza, talvolta all'unisono, altre volte contraddicendosi. E come tutti i gemelli siamesi, "sognano la separazione". Tuttavia, il problema trattato in *Two-headed Poems* non è solo quello dell'identità, ma anche, e in senso più universale, quello della comunicazione – "Hai appesa al collo la tua lingua, / un cappio, un pesante collare; ogni parola è impero, / ogni parola è vampiro e madre".

In *True Stories,* come in *The Handmaid's Tale,* la Atwood volge l'attenzione al tema della tirannide politica. In una delle sue più cupe poesie, "Notes Towards a Poem That Can Never Be Written", attacca la compiaciuta cultura canadese rappresentando gli orrori causati dall'arroganza politica *in questo momento* – in senso letterale mentre leggiamo questa poesia. Poiché le libertà individuali rimangono sospese

pagan rituals, have replaced the recognizable signposts that guide us through our daily lives. The landscape is heuristic, neither sub-lunar nor lunar, but suspended in a space governed by the power of magic, where mystical transformations, extrasensory revelations and powerful visions are associated with the individual's loss of rational self, a loss that leads to madness, even death. In the remarkable "Snake Poems" sequence, the dominant image is of the snake, seen through a wide register of representations, each revealing the human mind as it struggles to comprehend this hypnotically mysterious yet universally feared and hated creature. In "Psalm to Snake," Atwood articulates some of these representations: a snake is both movement and time, a prophet "under a stone," "a voice from the dead" and a "long word, cold-blooded and perfect" – in other words, a snake is a riddle of the universe. For this reason, those who can explain snakes, says the speaker in "Bad Mouth, "can explain anything." But for most people, snakes remain "a snarled puzzle / only gasoline and a match can untangle."

There are lies about snakes and there are truths about snakes, but to know which is which is a difficult if not an impossible task. What we do know is that they are everywhere, slithering through our collective unconscious – symbolizing nature, or those parts of it that we have not been able to pin down and control. In "Lesson On Snakes," the speaker warns: a snake is hardly "the devil in [our] garden." Nevertheless we would "batter it / with that hoe or crowbar / to a twist of slack rope." By killing it, we would kill our fear. At the same time, our fables are full of women changed to snakes and snakes changed to stars – snakes that possess forbidden and transformative knowledge while in "The White Snake" a man goes blind, loses human speech, and for the rest of his life listens "to the words, words around him everywhere like rain falling," trying to understand the language of the magic snake whose flesh he had eaten raw.

Central to *Morning in the Burned House* – Atwood's last book of poems to date – is the poignantly elegiac theme of loss associated with intimations of mortality – "the dark thing you have waited for so long" – and acceptance of aging – "a stranger's body you could not even imagine." In "Waiting," a poem of great autumnal beauty and comforting wisdom, the reader is, for example, invited to step into the twilight zone of existence where the great duplicitous divide between life and death is no longer alien but familiar, more "like your own home, fifty years ago." We all think of death as something extraordinary, something that insinuates itself into our lives, hides, as the speaker imag-

altrove, "la parola *perché* avvizzisce e svuota / se stessa" in Canada; "in questo paese", puoi fare e dire quello che vuoi perché è un luogo "abbastanza sicuro" e perché comunque "non ti ascolterà nessuno". Altrove, la gente è torturata ed uccisa, come la donna nella poesia, che giace "sul pavimento bagnato / sotto la luce senza fine", aspettando indifesa che il torturatore di stato giudiziosamente la uccida. "Muore per amore della parola", parola che in un paese come il Canada ha perso forza e significato.

"Notes Towards a Poem That Can Never Be Written" riguarda anche la letteratura, e il ruolo del poeta e della poesia. Può la poesia incidere sulla realtà? Il poeta ha una responsabilità morale? La Atwood non cerca soluzioni ovvie. Non illudiamoci che la poesia possa cambiare il mondo, specialmente un mondo in cui "i poeti ormai sono morti". Ciò che possiamo fare per le vittime è intrecciare "corone di aggettivi" trasformandoli in "statistiche & litanie" e in una poesia che "deve essere scritta / come se tu fossi già morto / come se niente potesse esser più fatto / o detto per salvarti".

Il paesaggio di *Interlunar* è come un mondo in cui è stata momentaneamente abolita la legge di gravità, dove la leggenda, la favola, il mito, i rituali pagani hanno sostituito quei segnali a noi familiari che ci guidano nei percorsi quotidiani. Il paesaggio è euristico, né sublunare né lunare, sospeso in uno spazio governato dal potere della magia, in cui trasformazioni mistiche, rivelazioni extrasensoriali e imponenti visioni vengono associate alla perdita dell'io razionale, perdita che conduce alla pazzia, addirittura alla morte. Nelle "Snake Poems" l'immagine dominante è quella del serpente, visto attraverso un'ampia gamma di rappresentazioni, ciascuna delle quali rivela l'animo umano nello sforzo di comprendere questa creatura ipnotica e misteriosa, universalmente temuta e detestata. Ad esempio nella poesia "Psalm to Snake" il serpente è sia movimento che tempo, profeta "sotto una pietra" e "voce dal mondo dei morti, parola lunga, fredda e perfetta" – in altri termini, il serpente è un enigma dell'universo. Per questa ragione, coloro che sanno interpretare il serpente, dice la voce narrante in "Bad Mouth", possono spiegare tutto, ma in genere, il serpente rimane "un intricato mistero / risolvibile solo appiccandovi il fuoco".

Sui serpenti si dicono menzogne e verità, ma è un'impresa ardua, se non addirittura impossibile, distinguere il vero dal falso. Ciò che sappiamo per certo è che essi sono ovunque, si insinuano nel nostro inconscio collettivo per simboleggiare la natura, o quelle parti di essa, che non siamo riusciti a dominare. In "Lesson on Snakes" veniamo avvertiti che il serpente non è "il demonio del giardino", anche se

ines, in our "closet, among the clothes [we] outgrew years ago," or comes upon us with "one pitiless glaring eye." Instead, it is ordinary, an old presence that has never left us. As we pass through time towards death, we leave behind emanations of ourselves, we leave imprints, places and houses we once visited or occupied and can later return to, catching a glimpse of our former selves. We are never alone. In the poem "You Come Back," the house has more than one inhabitant. While the speaker is absent, life continues: "...someone else / has been here wearing / your clothes and saying / words for you..." Bodies like words occupy the "middle ground," which "contains, / or is supposed to, other / people."

At the emotional centre of *Morning in the Burned House* is the sequence of meditations on the death of the poet's father. Here Atwood's poetic vision receives essential shape – it is intensely human and profoundly wise. It opens up the soul's hidden corners, it moves beyond the mask of pretence, taking us to the dark side of the moon. We move back and forth across time. We observe images of her father as a younger man, strong and agile, "freeze-framed" by a photo or by a personal memory. We observe images of him as an aging man on the far threshold of his life who "looks erased," and we experience the emotions that such comparisons impose – sadness and melancholy, bewilderment and anger. Two things in the father sequence are given particular attention – memory and dream. Memory is a humanizing faculty – it allows us to live in lost time, in private and public histories; it helps us fictionalize our physicality and know our mortality. But memory is also "no friend" for it tells us "what [we] no longer have." Thus for the father, in the poem "The Visit," gone are the days of his life when he "could walk on water. / When [he] could walk." His memory has failed him – he can now live only in the one day that remains.

Dream, like memory, is a humanizing faculty, but for different reasons. It tells us what we don't know about our own and others' daylight selves – it opens up new nocturnal sites for viewing and provides new angles for perceiving. In the daylight, says the speaker in "Two Dreams, 2," "what's gone is gone, / but at night it's different." In the nocturnal landscape nothing ends: "not dying, not mourning; / the dead repeat themselves..." – there is a continuation of what was started in the daylight. Our pact with the dead is through dreams. Just as we carry our younger selves with us so we carry our dead. They return from "under the ground, from under the water, / they clutch at us, they clutch at us, we won't let go." It is this refusal to "let go" on both sides

istintivamente vogliamo "prenderlo a colpi di zappa o palanco / ridurlo a un groviglio di corda". Uccidendolo, si uccide la nostra paura. Da un lato le nostre favole sono piene di donne trasformate in serpenti e di serpenti trasformati in costellazioni – di serpenti che possiedono una conoscenza proibita e metamorfica – mentre in "White Snake" un uomo diviene cieco, perde la facoltà di parlare, e per il resto dei suoi giorni ascolta "le parole che lo avvolgono come pioggia", cercando di capire la lingua del serpente magico di cui aveva mangiato la carne cruda.

Al centro di "Morning in the Burned House" – la più recente raccolta di poesie della Atwood – troviamo il tema elegiaco della perdita, associato a moniti di mortalità – "la cosa oscura che hai tanto atteso" – e all'accettazione della vecchiaia – "il corpo di un'estranea che non riuscivi nemmeno ad immaginare". Per esempio in "Waiting", poesia di grande bellezza autunnale e di consolante saggezza, il lettore è spinto ad addentrarsi nella zona crepuscolare tra vita e morte dove si unificano i contrari. Noi tutti pensiamo alla morte come a un qualcosa di straordinario, qualcosa che, come immagina la persona narrante, si insinua nella nostra vita, si nasconde "nel nostro armadio fra le vesti troppo strette d'anni fa", o ci piomba addosso "con impietoso occhio abbagliante". Invece, la morte è un fatto ordinario, una vecchia presenza che non ci ha mai abbandonato. Creature di passaggio nel tempo, procediamo verso la morte, lasciando orme, luoghi e case a cui potremo in seguito tornare a cogliere un barlume del passato. Non siamo mai soli. Nella poesia "You Come Back" la casa ha più di un inquilino. Colei che parla è assente, ma la vita continua: "qualcun'altra / è stata qui portando i tuoi vestiti e pronunciando le tue parole". I corpi, come le parole, occupano una zona intermedia che "contiene, / o dovrebbe contenere, altre / persone".

Il centro emotivo della raccolta è costituito dalle riflessioni sulla morte del padre della poetessa. Qui la visione poetica della Atwood assume una essenzialità fatta di intensa umanità e di profonda saggezza. Ci svela gli angoli nascosti dell'anima, si muove oltre la maschera della finzione, portandoci lungo i sentieri che conducono al lato oscuro della luna. Ci spostiamo avanti e indietro nel tempo. Osserviamo le immagini del padre della scrittrice quando era giovane, forte e agile, "fermato nell'immagine" di una fotografia o di un ricordo personale. Lo osserviamo quando sulla soglia della vecchiaia e della vita "sembra cancellato", e all'improvviso sentiamo tutte le emozioni che tali visioni producono – emozioni che vanno da una tristezza malinconica allo stupore ed alla rabbia. Due motivi assumono particolare rilievo nelle poesie dedicate al padre: memoria e sogno. La memoria è pre-

that resolves the divide within us, a refusal that provides a kind of redemption.

One of Atwood's greatest strengths has been her ability to communicate with her contemporaries. Her popularity, domestic and international, has a great deal to do with being, above all, a writer who has dug deep into her immediate environment. The more she has narrowed her focus on Canada, Ontario, Toronto and her family; the more 'universal' her poetic vision has become. Through the years she has continued to be committed to social and ethical issues, never severing the connection between art and life. Perhaps more than any other contemporary Canadian writer, she has internationalized Canada, has transformed it into an exciting real and imaginative world.

Branko Gorjup

sentata come facoltà umanizzante: ci permette di vivere nel tempo perduto, nelle storie private e pubbliche; ci aiuta a reinventare la nostra fisicità e a comprendere la nostra condizione mortale. La memoria, d'altronde, "non ci è amica" poiché ci ricorda "ciò che più non abbiamo". Quindi, nella poesia "The Visit", il padre rimpiange i giorni in cui "sapeva camminar sull'acqua. / Quando poteva camminare". Anche la memoria lo tradisce – ora egli può solo vivere nell'unico giorno che gli rimane.

Anche il sogno è facoltà umanizzante, ma per altre ragioni. Il sogno ci comunica ciò che non sappiamo, dell'identità nostra e altrui; dischiude la possibilità di percepire da nuove angolazioni. Alla luce del sole, dice l'io narrante in "Two Dreams 2", "quel che è stato è stato, / ma di notte è diverso". Nel paesaggio notturno nulla finisce "senza morire, senza pianto, i morti si ripetono...". C'è una continuazione tra la luce del sole e le ombre notturne. Il nostro patto con i morti si attua attraverso il sogno. Proprio come portiamo con noi il nostro io di un tempo, così portiamo i nostri morti. Essi ritornano "dal sottosuolo, dall'acqua, / ci afferrano, ci afferrano / noi non [li] lasceremo andare". È questo rifiuto della separazione che risolve la spaccatura dentro di noi con una forza quasi catartica.

Uno dei maggiori pregi della Atwood sta nella capacità di comunicare con la realtà contemporanea. La sua popolarità, in Canada e nel mondo, deriva dall'essere, innanzi tutto, una scrittrice locale, che esplora in profondità il proprio ambiente. Paradossalmente, quanto più la scrittrice focalizza l'attenzione sulla sua terra – l'Ontario, Toronto e la propria famiglia – tanto più universale risulta la sua visione poetica. Nel corso degli anni la Atwood ha continuato ad essere impegnata in questioni di ordine etico e sociale, senza mai recidere la connessione tra arte e vita. Ha fatto conoscere il Canada più di ogni altro scrittore contemporaneo perché ha saputo rappresentarlo in modo realistico e, allo stesso tempo, trasfigurarlo in un mondo immaginario.

Branko Gorjup

Laura Forconi ha tradotto: "Backdrop Addresses Cowboy", "There Is Only One of Everything", "A Women's Issue", "Notes Towards a Poem That Can Never Be Written", "Variations on the Word *Sleep*", "Iconography", "Cressida to Troilus: a Gift", "Sekhmet the Lion-Headed Goddess of War, Violent Storms, Pestilence, and Recovery from Illness, Contemplates the Desert in the Metropolitan Museum of Art", "Marsh Languages", "Flowers", l'introduzione di Branko Gorjup e le testimonianze di Barry Callaghan, Coral Ann Howells, Anne Michaels, Rosemary Sullivan, Bianca Tarozzi.

Caterina Ricciardi ha tradotto: "After the Flood, We", "Eventual Proteus", "Journey to the Interior", "A Voice", "Further Arrivals", "Looking in a Mirror" "Departure from the Bush" "Dream 1: The Bush Garden", "The Small Cabin", "Dreams of the Animals", "She Considers Evading Him", "They Eat Out", "November", "Owl Song", "Orpheus (1)", "You Come Back", "Waiting".

Francesca Valente ha tradotto: "This Is a Photograph of Me", "The Animals in That Country", "At The Tourist Centre in Boston", "Progressive Insanities of a Pioneer", "True Stories", "Nothing", "Snake Woman", "Eating Snake", "Metempsychosis", "The Saints", "Interlunar", "Shapechangers in Winter", "Morning in the Burned House".

Caterina Ricciardi e Francesca Valente hanno tradotto insieme: "After Heraclitus", "Procedures for Underground", "Tricks with Mirrors", "Siren Song", "Five Poems for Dolls", " Night Poem", "Last Day".

Laura Forconi e Francesca Valente hanno tradotto insieme le testimonianze di Fernando Bandini e Liliana Madeo.

Margaret Atwood is one of Canada's most eminent poets and novelists. She published twelve volumes of poetry, nine novels and five collections of short-stories in Canada, U.S., and the U.K., as well as in 15 other countries. She also wrote full-length critical studies, including *Survival: A Thematic Guide to Canadian Literature* and *Second Words: Critical Prose*. Her various reviews and critical articles have appeared in *Canadian Literature, Saturday Night, New York Times Book Review, Books In Canada,The Washington Post*, and many others. She won the Governor General's Award twice: in 1967 for her first collection of poetry, *The Circle Game,* and in 1986 for her novel, *The Handmaid's Tale,* which was later adapted for the screen by Harold Pinter. The film was directed by Volker Schlorndorf and released in 1990. Her other honours include The Sunday Times Award for Literary Excellence, the prestigious Le Chevalier dans l'Ordre des Artes et des Lettres and the Premio Mondello. She was twice short-listed for The Booker Prize and became in 1996 the winner of the Canadian Giller Prize. Margaret Atwood lives in Toronto with the writer Graeme Gibson and their daughter.

Born at the foot of Mount Ovolo at Grizzano Morandi, Luigi Ontani's youth was culturally shaped by the city of Bologna where in 1967 he had his first exhibition of sculpture and temperas. Since 1969 he has privileged photography as a medium best suited for explorations of self-referenziality. In 1970 he moved to Rome where he participated in several *tableaux vivants* as Don Quixote, Don Giovanni, Superman, Columbus, PulciNella, etc. His works have been exhibited in prestigious galleries and museums throughout Italy and around the world, including Galleria Nazionale d'Arte Moderna, Rome, the Stedelijk Museum, Amsterdam, the Museum of Modern Art and the Guggenheim Museum, New York. In 1972, 1978 and 1984, Ontani participated in the Venice Biennale. His production is noted for its allegorical, mythological, erotic and playful qualities, showing influences from diverse and distant cultures.

Margaret Atwood

Tricks with Mirrors
Giochi di specchi

This Is a Photograph of Me

It was taken some time ago.
At first it seems to be
a smeared
print: blurred lines and grey flecks
blended with the paper;

then, as you scan
it, you see in the left-hand corner
a thing that is like a branch: part of a tree
(balsam or spruce) emerging
and, to the right, halfway up
what ought to be a gentle
slope, a small frame house.

In the background there is a lake,
and beyond that, some low hills.

(The photograph was taken
the day after I drowned.

I am in the lake, in the center
of the picture, just under the surface.

It is difficult to say where
precisely, or to say
how large or small I am:
the effect of water
on light is a distortion

but if you look long enough,
eventually
you will be able to see me.)

Questa è una mia fotografia

È stata scattata qualche tempo fa.
A prima vista sembra
una copia
sciupata: contorni sfocati e chiazze grigie
fuse nella carta;

poi, se la esamini,
vedi nell'angolo a sinistra
qualcosa come un ramo: parte di un albero
(balsamina o abete) che affiora
e, a destra, a metà di
quello che appare un dolce
declivio, una piccola casa di legno.

Sullo sfondo vi è un lago,
e oltre questo, basse colline.

(La foto è stata scattata
il giorno dopo che annegai.

Io sono nel lago, al centro
dell'immagine, appena sotto la superficie.

È difficile dire dove
con precisione, o dire
quanto grande o piccola io sia:
l'effetto dell'acqua
sulla luce inganna

ma se guardi abbastanza a lungo,
alla fine
riuscirai a vedermi).

After the Flood, We

We must be the only ones
left, in the mist that has risen
everywhere as well
as in these woods

I walk across the bridge
towards the safety of high ground
(the tops of the trees are like islands)

gathering the sunken
bones of the drowned mothers
(hard and round in my hands)
while the white mist washes
around my legs like water;

fish must be swimming
down in the forest beneath us,
like birds, from tree to tree
and a mile away
the city, wide and silent,
is lying lost, far undersea.

You saunter beside me, talking
of the beauty of the morning,
not even knowing
that there has been a flood,

tossing small pebbles
at random over your shoulder
into the deep thick air,
not hearing the first stumbling
footsteps of the almost-born
coming (slowly) behind us,

Dopo il diluvio, noi

Saremo gli unici
rimasti, nella bruma levatasi
ovunque e pure
in questi boschi

percorro il ponte
verso il sicuro pianoro
(come isole le chiome degli alberi)

raccogliendo le ossa
sprofondate di madri annegate
(dure e tonde nelle mani)
mentre la bruma bianca sciaborda
attorno alle gambe come acqua;

i pesci staranno nuotando
nella foresta sotto di noi,
come uccelli, d'albero in albero
e a un miglio
la città, vasta e silente,
giace persa, in fondo al mare.

Gironzoli accanto a me, parlando
della bellezza del mattino,
senza neanche sapere
che c'è stato un diluvio,

gettando piccoli ciottoli
a caso dietro le spalle
nell'aria, densa, profonda,
non udendo i primi passi
incespicanti dei quasi-nati
che vengono (lenti) dietro di noi,

not seeing
the almost-human
brutal faces forming
(slowly)
out of stone.

non vedendo
i volti bruti
quasi-umani che si formano
(lenti)
dalla pietra.

Eventual Proteus

I held you
through all your shifts
of structure: while your bones turned
from caved rock back to marrow,
the dangerous
fur faded to hair
the bird's cry died in your throat
the treebark paled from your skin
the leaves from your eyes

till you limped back again
to daily man:
a lounger on streetcorners
in iron-shiny gabardine
a leaner on stale tables;
at night a twitching sleeper
dreaming of crumbs and rinds and a sagging woman
caged by a sour bed.

The early
languages are obsolete.

These days we keep
our weary distances:
sparring in the vacant spaces
of peeling rooms
and rented minutes, climbing
all the expected stairs, our voices
abraded with fatigue,
our bodies wary.

Shrunk by my disbelief
you cannot raise
the green gigantic skies, resume

L'ultimo Proteo

Ti tenevo
mentre continuamente mutavi
struttura: come le ossa tornavano
da roccia cava a midollo,
la pericolosa
pelliccia scemava in capelli
il grido d'uccello ti moriva in gola
la corteccia d'albero sbiadiva dalla pelle
le foglie dagli occhi

finché ti riarticolasti di nuovo
a uomo d'ogni giorno:
un vagabondo ai crocicchi
in gabardine lucido come ferro
poggiato a tavoli stantii;
di notte un dormiente agitato
da sogni di scorze e briciole e di una donna cadente
prigioniera di un rancido letto.

I primi
linguaggi sono obsoleti.

In questi giorni manteniamo
stanche distanze:
barricati negli spazi vuoti
di stanze che si sfaldano
e minuti lacerati, salendo
tutte le scale previste, le voci
abrase di fatica
i corpi diffidenti.

Contratto dalla mia incredulità
non puoi sollevare
i verdi cieli giganteschi, riprendere

the legends of your disguises:
this shape is final.

Now, when you come near
attempting towards me across
these sheer cavernous
inches of air

your flesh has no more stories
or surprises;

my face flinches
under the sarcastic
tongues of your estranging
fingers,
the caustic remark of your kiss.

le leggende dei tuoi travestimenti:
questa forma è finale.

Ora, quando t'accosti
cercando d'avvicinarmi attraverso
questi cavernosi
millimetri d'aria

la tua carne non ha più storie
o sorprese;

il mio volto si ritrae
sotto le lingue
sarcastiche delle tue dita
stranianti,
il caustico segno del tuo bacio.

Journey to the Interior

There are similarities
I notice: that the hills
which the eyes make flat as a wall, welded
together, open as I move
to let me through; become
endless as prairies; that the trees
grow spindly, have their roots
often in swamps; that this is a poor country;
that a cliff is not known
as rough except by hand, and is
therefore inaccessible. Mostly
that travel is not the easy going
from point to point, a dotted
line on a map, location
plotted on a square surface
but that I move surrounded by a tangle
of branches, a net of air and alternate
light and dark, at all times;
that there are no destinations
apart from this.

There are differences
of course: the lack of reliable charts;
more important, the distraction of small details:
your shoe among the brambles under the chair
where it shouldn't be; lucent
white mushrooms and a paring knife
on the kitchen table; a sentence
crossing my path, sodden as a fallen log
I'm sure I passed yesterday
                              (have I been
walking in circles again?)

but mostly the danger:

Viaggio all'interno

Ci sono somiglianze
noto: che le colline
dagli occhi appiattite come un muro, fra loro
saldate, s'aprono mentre mi muovo
per farmi passare; divengono
sconfinate come praterie; che gli alberi
crescono affusolati, spesso affondano
radici in paludi; che questo è un paese povero;
che d'una rupe non si conosce
l'asperità se non al tocco, ed è
perciò inaccessibile. Per lo più
che il viaggio non è il facile percorso
da un punto all'altro, una linea
punteggiata su una mappa, l'ubicazione
tracciata su una superficie quadrata
ma che mi muovo circondata da un groviglio
di rami, una rete d'aria e luce e
buio alternati, sempre;
che non ci sono destinazioni
fuor di questa.

Ci sono differenze
naturalmente: la mancanza di carte affidabili;
più importante la distrazione di piccoli dettagli:
la tua scarpa fra i rovi sotto la sedia
dove non dovrebbe stare; rilucenti
funghi bianchi e uno scarnitoio
sul tavolo di cucina; una frase che
traversa il mio sentiero, fradicia come un tronco caduto
son sicura l'ho incrociata ieri
                              (ho ripreso
a girare in circolo?)

ma per lo più il pericolo:

many have been here, but only
some have returned safely.

A compass is useless; also
trying to take directions
from the movements of the sun,
which are erratic;
and words here are as pointless
as calling in a vacant
wilderness.
                Whatever I do I must
keep my head. I know
it is easier for me to lose my way
forever here, than in other landscapes

molti sono stati qui, ma solo
alcuni son tornati sani e salvi.

La bussola è inutile; pure
il cercare la direzione
dai movimenti del sole,
che sono variabili;
e le parole qui sono vane
come il chiamare in una landa
deserta.
       Qualsiasi cosa faccia devo
non perdere la testa. Lo so
per me è più facile smarrire la strada
qui per sempre, che non in altri paesaggi

The Animals in That Country

In that country the animals
have the faces of people:

the ceremonial
cats possessing the streets

the fox run
politely to earth, the huntsmen
standing around him, fixed
in their tapestry of manners

the bull, embroidered
with blood and given
an elegant death, trumpets, his name
stamped on him, heraldic brand
because

(when he rolled
on the sand, sword in his heart, the teeth
in his blue mouth were human)

he is really a man
even the wolves, holding resonant
conversations in their
forests thickened with legend.

      In this country the animals
      have the faces of
      animals.

      Their eyes
      flash once in car headlights
      and are gone.

Gli animali in quella terra

In quella terra gli animali
hanno volti di persone:

i cerimoniosi
gatti possiedono le strade

la volpe è abbattuta
con grazia al suolo, i cacciatori
la circondano, fissi
nell'arazzo del garbo

il toro, imperlato
di sangue riceve una
una morte elegante, suono di trombe, il nome
impresso come marchio araldico
perché

(quando rotolò
sulla sabbia, spada nel cuore, i denti
nella bocca bluastra erano umani)

è un uomo
persino i lupi tengono altisonanti
conversazioni nelle
foreste infittite di leggenda.

      In questa terra gli animali
      hanno volti di
      animali.

      Gli occhi
      brillano una volta alla luce degli abbaglianti
      e svaniscono.

Their deaths are not elegant.

They have the faces of
no-one.

La loro morte non è elegante.

Hanno il volto di
nessuno.

At the Tourist Centre in Boston

There is my country under glass,
a white relief-
map with red dots for the cities,
reduced to the size of a wall

and beside it 10 blownup snapshots
one for each province,
in purple-browns and odd reds,
the green of the trees dulled;
all blues however
of an assertive purity.

Mountains and lakes and more lakes
(though Quebec is a restaurant and Ontario the empty
interior of the parliament buildings),
with nobody climbing the trails and hauling out
the fish and splashing in the water

but arrangements of grinning tourists-
look here, Saskatchewan
is a flat lake, some convenient rocks
where two children pose with a father
and the mother is cooking something
in immaculate slacks by a smokeless fire,
her teeth white as detergent.

Whose dream is this, I would like to know:
is this a manufactured
hallucination, a cynical fiction, a lure
for export only?

I seem to remember people,
at least in the cities, also slush,
machines and assorted garbage. Perhaps

Al centro turistico di Boston

Ecco la mia terra sotto vetro,
una mappa in rilievo bianco
le città puntini rossi,
nello spazio di una parete

e accanto 10 foto ingrandite
una per provincia,
di un bruno rossiccio o rosso strano,
il verde degli alberi smorzato;
i blu tuttavia
di assoluta purezza.

Montagne, laghi e ancora laghi
(anche se il Quebec è un ristorante e l'Ontario i vuoti
interni di un Parlamento),
con nessuno che risale i sentieri e pesca
o sguazza nell'acqua

ma gruppi di turisti ghignanti-
guardate qui, il Saskatchewan
è un lago piatto, con rocce adatte
a far da sfondo a due bambini in posa con il padre,
mentre la madre cucina
in calzoni immacolati ad un fuoco senza fumo,
i denti bianchi come detersivo.

Chi sogna questo? Vorrei saperlo:
è un'allucinazione
pre-fabbricata, una cinica finzione, una lusinga
solo da esportare?

Mi sembra di ricordare persone,
almeno nelle città, e fanghiglia,
macchine e tanti rifiuti. Forse

that was my private mirage
which will just evaporate
when I go back. Or the citizens will be gone,
run off to the peculiarly-
green forests
to wait among the brownish mountains
for the platoons of tourists
and plan their odd red massacres.

Unsuspecting
window lady, I ask you:

Do you see nothing
watching you from under the water?

Was the sky ever that blue?

Who really lives there?

è il mio miraggio privato
che svanirà
quando me ne andrò. O se ne andranno i cittadini,
verso le foreste
di un verde particolare
per attendere tra le brune montagne
plotoni di turisti
e preparare strani rossi massacri.

Donna
ignara alla vetrina, ti chiedo:

Non vedi nulla
che ti guarda da sott'acqua?

Il cielo è mai stato tanto azzurro?

Chi vive davvero laggiù?

Progressive Insanities of a Pioneer

i

He stood, a point
on a sheet of green paper
proclaiming himself the centre,

with no walls, no borders
anywhere; the sky no height
above him, totally un-
enclosed
and shouted:

Let me out!

ii

He dug the soil in rows,
imposed himself with shovels
He asserted
into the furrows, I
am not random.

The ground
replied with aphorisms:

a tree-sprout, a nameless
weed, words
he couldn't understand.

iii

The house pitched
the plot staked
in the middle of nowhere.

At night the mind

Insanie progressive di un pioniere

i

Si fermò, un punto
su un foglio di carta verde
proclamandosi il centro,

senza muri né confini
ovunque; il cielo smisurato
sopra di lui, non
circoscritto,
e gridò:

Fatemi uscire!

ii

Dissodava la terra,
si imponeva col badile
Affermava
nei solchi, io
non esisto a caso.

La terra
replicava con aforismi:

un virgulto, una sconosciuta
gramigna, parole
che non riusciva a capire.

iii

La casa piantata
Il campo recintato
Al centro del nulla.

Di notte la mente

inside, in the middle
of nowhere.

The idea of an animal
patters across the roof.

In the darkness the fields
defend themselves with fences
in vain:
       everything
       is getting in.

iv

By daylight he resisted.
He said, disgusted
with the swamp's clamourings and the outbursts
of rocks,
       This is not order
       but the absence
       of order.

He was wrong, the unanswering
forest implied:

       It was
       an ordered absence

v

For many years
he fished for a great vision,
dangling the hooks of sown
roots under the surface
of the shallow earth.

It was like
enticing whales with a bent
pin. Besides he thought

in that country
only the worms were biting.

dentro, al centro
del nulla.

L'idea di un animale
zampetta sul tetto.

Nell'oscurità i campi
si difendono invano
con recinti:
        tutto
        fa breccia.

iv

All'alba reagiva.
Diceva, disgustato
dal clamore della palude e dall'affioramento
di rocce,
        Questo non è ordine
        ma assenza
        di ordine.

Si sbagliava, la taciturna
foresta suggeriva:

        Era
        Un'assenza ordinata

v

Per molti anni
gettò l'esca per una grande visione,
immergendo gli ami di fertili radici
appena sotto la superficie
della terra non profonda.

Era come
adescare balene con un ago
ricurvo. Pensava inoltre

che in quel posto
solo i vermi abboccassero.

vi

If he had known unstructured
space is a deluge
and stocked his log house-
boat with all the animals

even the wolves,

he might have floated.

But obstinate he
stated, the land is solid
and stamped,

watching his foot sink
down through stone
up to the knee.

vii

Things
refused to name themselves; refused
to let him name them.

The wolves hunted
outside.

On his beaches, his clearings,
by the surf of under-
growth breaking
at his feet, he foresaw
disintegration
                    and in the end

through eyes
made ragged by his
effort, the tension
between subject and object,

the green
vision, the unnamed
whale invaded.

vi

Se avesse saputo che lo spazio
non strutturato è un diluvio
e avesse ammassato nella sua arca
tutti gli animali

persino i lupi,

avrebbe potuto galleggiare.

Ma ostinato
affermò, la terra è solida
e battè i piedi,

osservandoli
sprofondare fra le pietre
fino al ginocchio.

vii

Le cose
rifiutarono di darsi un nome; rifiutarono
di lasciarsi dare un nome da lui.

I lupi cacciavano
fuori.

Sulle spiagge, le radure,
vicino alla risacca del sotto-
bosco che si frangeva
ai suoi piedi, presagì
la disintegrazione
                    e alla fine

attraverso occhi
estenuati dallo
sforzo, la tensione
fra soggetto e oggetto,

la verde
visione, la balena
senza nome invase il campo.

Backdrop Addresses Cowboy

Starspangled cowboy
sauntering out of the almost-
silly West, on your face
a porcelain grin,
tugging a papier-mâché cactus
on wheels behind you with a string,

you are innocent as a bathtub
full of bullets.

Your righteous eyes, your laconic
trigger-fingers
people the streets with villains:
as you move, the air in front of you
blossoms with targets

and you leave behind you a heroic
trail of desolation:
beer bottles
slaughtered by the side
of the road, bird-
skulls bleaching in the sunset.

I ought to be watching
from behind a cliff or a cardboard storefront
when the shooting starts, hands clasped
in admiration,
but I am elsewhere.

Then what about me

what about the I
confronting you on that border
you are always trying to cross?

Lo scenario si rivolge al cowboy

Cowboy trapunto di stelle
che vagando vieni dall'Ovest semi-
istupidito, sul tuo volto
un ghigno di porcellana,
trascinando un cactus di carta-
pesta su ruote dietro di te con uno spago,

sei innocente come una tinozza
piena di pallottole.

Il tuo sguardo leale, le tue laconiche dita
sul grilletto
cospargono le strade di canaglie:
quando ti muovi, l'aria davanti a te
germina bersagli

e tu lasci dietro di te un'eroica
traccia di desolazione:
bottiglie di birra
massacrate al lato
della strada, teschi
d'uccelli sbiancanti al tramonto.

Dovrei star a guardare
da dietro una rupe o da un negozio con facciata di cartone
quando la sparatoria inizia, le mani giunte
in ammirazione,
ma sono altrove.

Allora cosa dir di me

cosa dir dell'Io
di fronte a te su quel confine
che cerchi sempre di varcare?

I am the horizon
you ride towards, the thing you can never lasso

I am also what surrounds you:
my brain
scattered with your
tincans, bones, empty shells,
the litter of your invasions.

I am the space you desecrate
as you pass through.

Io sono l'orizzonte
verso il quale cavalchi, la cosa che mai puoi prendere al laccio

sono anche ciò che ti circonda:
il mio cervello
sparpagliato con le tue
lattine, ossa, cartucce vuote,
i rifiuti delle tue invasioni.

Sono lo spazio che profani
mentre lo attraversi.

A Voice

A voice from the other country
stood on the grass. He became
part of the grass.

    The sun shone
    greenly on the blades of his hands

Then we
appeared, climbing down
the hill, you
in your blue sweater.

He could see that
we did not occupy
the space, as he did. We
were merely in it

    My skirt was yellow
    small
    between his eyes

We moved along
        the grass, through
the air that was inside
his head. We did not see him.

    He could smell
    the leather on our feet

We walked
small
across
his field of vision (he
watching us) and disappeared.

Una voce

Una voce dall'altro paese
sostò sull'erba. Egli divenne
parte dell'erba.

Il sole splendeva
verde sugli steli delle sue mani

Poi apparimmo
noi, scendendo
per la collina, tu
nel tuo maglione azzurro.

Vedeva che
non occupavamo
lo spazio, come faceva lui. Vi
eravamo semplicemente dentro

Gialla la mia gonna
piccola
fra i suoi occhi

Ci muovemmo
nell'erba, attraverso
l'aria che era nella
sua testa. Non lo vedemmo.

Sentiva l'odore
del cuoio sui nostri piedi

Camminammo
piccoli
lungo
il suo campo di visione (lui
ci guardava) e sparimmo.

His brain grew over
the places we had been.

He sat. He was curious
about himself. He wondered
how he had managed to think us.

Il suo cervello crebbe sui
luoghi dove eravamo stati.

Sedette. Era stupito
di se stesso. Si chiese
com'era riuscito a pensarci.

Further Arrivals

After we had crossed the long illness
that was the ocean, we sailed up-river

On the first island
the immigrants threw off their clothes
and danced like sandflies

We left behind one by one
the cities rotting with cholera,
one by one our civilized
distinctions

and entered a large darkness.

It was our own
ignorance we entered.

I have not come out yet

My brain gropes nervous
tentacles in the night, sends out
fears hairy as bears,
demands lamps; or waiting

for my shadowy husband, hears
malice in the trees' whispers.

I need wolf's eyes to see
the truth.

I refuse to look in a mirror.

Whether the wilderness is
real or not
depends on who lives there.

Ulteriori arrivi

Attraversato il lungo male,
l'oceano, risalimmo il fiume

Sulla prima isola
gli immigranti si tolsero le vesti
e danzarono come flebotomi

Lasciammo indietro una a una
le città marcescenti di colera,
una a una le nostre civili
distinzioni

ed entrammo in una vasta tenebra.

Fu nella nostra
ignoranza che entrammo.

Non ne sono ancora uscita

Il mio cervello fa brancolare nervosi
tentacoli nella notte, emana
paure irsute come orsi,
chiede lucerne; o in attesa

di mio marito, un'ombra, ode
malizie nei bisbigli degli alberi.

Mi servono occhi di lupo per vedere
la verità.

Rifiuto di guardare in uno specchio.

Se la landa sia
reale o meno
dipende da chi ci vive.

Looking in a Mirror

It was as if I woke
after a sleep of seven years

to find stiff lace, religious
black rotted
off by earth and the strong waters

and instead my skin thickened
with bark and the white hairs of roots

My heirloom face I brought
with me a crushed eggshell
among other debris:
the china plate shattered
on the forest road, the shawl
from India decayed, pieces of letters

and the sun here had stained
me its barbarous colour

Hands grown stiff, the fingers
brittle as twigs
eyes bewildered after
seven years, and almost
blind / buds, which can see
only the wind

the mouth cracking
open like a rock in fire
trying to say

What is this

(you find only

Guardando in uno specchio

Fu come svegliarsi
da un sonno di sette anni

per trovare rigido pizzo, religioso
nero putrefatto
dalla terra e le acque irruenti

la pelle invece inspessita
da corteccia e i bianchi filamenti di radici

Il volto nobile che avevo portato
con me un guscio d'uovo sbriciolato
fra altre macerie:
il piatto di porcellana in frantumi
sulla strada della foresta, lo scialle
indico logorato, lembi di lettere

e il sole qui m'aveva tinto
del suo barbaro colore

Mani irrigidite, dita
friabili come ramoscelli
occhi smarriti dopo
sette anni, quasi
ciechi / bocci, cui è dato di vedere
solo il vento

la bocca aprendosi
si crepa quale roccia nel fuoco
per provare a dire

Cos'è questo

(trovi solo

the shape you already are
but what
if you have forgotten that
or discover you
have never known)

la forma che già sei
ma se fosse
che tu l'avessi dimenticata
o scoprissi che
non l'hai mai conosciuta)

Departure from the Bush

I, who had been erased
by fire, was crept in
upon by green
                (how
lucid a season)

                In time the animals
arrived to inhabit me,

first one
  by one, stealthily
(their habitual traces
burnt); then
having marked new boundaries
returning, more
confident, year
by year, two
by two

but restless: I was not ready
altogether to be moved into

They could tell I was
too heavy: I might
capsize;

I was frightened
by their eyes (green or
amber) glowing out from inside me

I was not completed: at night
I could not see without lanterns.

He wrote, We are leaving. I said

Partenza dalla selva

Io, che ero stata abrasa
dal fuoco, fui infiltrata
dal verde
              (quale
lucida stagione)

              Col tempo vennero
gli animali ad abitarmi,

prima uno
    a uno, furtivamente
(le tracce abituali
arse); poi
marcati nuovi confini
tornarono, più
confidenti, anno
dopo anno due
a due

ma irrequieti: non ero affatto
pronta a essere abitata

Si capiva che ero
troppo pesante: avrei potuto
capovolgermi;

ero spaventata
dai loro occhi (verdi o
ambra) che da dentro me brillavano

non ero compiuta; di notte
non vedevo senza lanterne.

Egli scrisse, Partiamo. Dissi

I have no clothes
left I can wear

The snow came. The sleigh was a relief;
its track lengthened behind,
pushing me towards the city

and rounding the first hill, I was
(instantaneous)
unlived in: they had gone.

There was something they almost taught me
I came away not having learned.

non ho più un abito
da indossare

Venne la neve. La slitta fu un sollievo;
la sua scia s'allungava dietro,
spingendomi verso la città

e aggirata la prima collina, fui
(all'istante)
disabitata: se n'erano andati.

C'era qualcosa che quasi m'insegnarono
venni via senza averlo appreso.

Dream 1: The Bush Garden

I stood once more in that garden
sold, deserted and
gone to seed

In the dream I could
see down through the earth, could see
the potatoes curled
like pale grubs in the soil
the radishes thrusting down
their fleshy snouts, the beets
pulsing like slow amphibian hearts

Around my feet
the strawberries were surging, huge
and shining

When I bent
to pick, my hands
came away red and wet

In the dream I said
I should have known
anything planted here
would come up blood

Sogno 1: il giardino nella selva

Sostai ancora una volta in quel giardino
venduto, abbandonato e
inselvatichito

Nel sogno potevo
vedere attraverso la terra, vedere
le patate arricciate
come pallide larve nel suolo
i ravanelli tuffare
il muso carnoso, le barbabietole
pulsare come il cuore lento di anfibi

Attorno ai piedi
le fragole s'inturgidivano, immense
e lucenti

Quando mi chinai
a coglierle, le mani
si ritrassero rosse e bagnate

Nel sogno dicevo
avrei dovuto sapere che
qualsiasi cosa qui piantata
avrebbe dato sangue

The Small Cabin

The house we built gradually
from the ground up when we were young
(three rooms, the walls
raw trees) burned down
last year   they said

I didn't see it, and so
the house is still there in me

among branches as always   I stand
inside it looking out
at the rain moving across the lake

but when I go back
to the empty place in the forest
the house will blaze and crumple
suddenly in my mind

collapsing like a cardboard carton
thrown on a bonfire, summers
crackling, my earlier
selves outlined in flame.

Left in my head will be
the blackened earth: the truth.

Where did the house go?

Where do the words go
when we have said them?

Il cottage

La casa che costruimmo gradualmente
strato a strato quando eravamo giovani
(tre stanze, le pareti
nudi alberi) s'incendiò
l'anno scorso   han detto

io non l'ho vista, e così
la casa è ancora lì dentro di me

fra i rami come sempre   sto
all'interno e guardo fuori
la pioggia che attraversa il lago

ma quando tornerò
al posto vuoto nella foresta
la casa brucerà e s'accartoccerà
d'improvviso nella mia mente

afflosciandosi come scatola di cartone
gettata su un falò, estati
crepitanti, i miei antichi
io stagliati nella fiamma.

Resterà nella mia mente
la terra annerita: la verità.

Dov'è andata la casa?

Dove vanno le parole
quando le abbiamo pronunciate?

Procedures for Underground

(Northwest Coast)

The country beneath
the earth has a green sun
and the rivers flow backwards;

the trees and rocks are the same
as they are here, but shifted.
Those who live there are always hungry;

from them you can learn
wisdom and great power,
if you can descend and return safely.

You must look for tunnels, animal
burrows or the cave in the sea
guarded by the stone man;

when you are down you will find
those who were once your friends
but they will be changed and dangerous.

Resist them, be careful

never to eat their food.
Afterwards, if you live, you will be able

to see them when they prowl as winds,
as thin sounds in our village, You will
tell us their names, what they want, who

has made them angry by forgetting them.
For this gift, as for all gifts, you must
suffer: those from the underland

will be always with you, whispering their

Procedure per il sottosuolo

(Costa nord-occidentale)

Il paese sotto
la terra ha un sole verde
e i fiumi scorrono all'indietro;

alberi e rocce sono gli stessi
di qui, ma spostati.
Quelli che vivono là han sempre fame;

da loro puoi imparare
sapienza e grande potere,
se riesci a discendere e tornare salvo.

Devi cercare cunicoli e tane
d'animali o la grotta marina
sorvegliata dall'uomo della pietra;

una volta laggiù troverai
quelli che un tempo erano tuoi amici
ma mutati e pericolosi.

Fai loro resistenza e guardati
dal mangiarne il cibo.
In seguito, se sarai vivo, riuscirai

a vederli vagare a caccia di preda come i venti,
come suoni lievi nel nostro villaggio, Tu
ci dirai i loro nomi, ciò che vogliono, chi

li ha adirati dimenticandoli.
Per questo dono, come per tutti i doni, dovrai
soffrire: quelli del sottosuolo

saranno sempre con te, sussurrando le loro
lamentele, richiamandoti laggiù

complaints, beckoning you
back down; while among us here

you will walk wrapped in an invisible
cloak. Few will seek your help
with love, none without fear.

con un cenno; mentre qui fra noi

camminerai avvolto in un mantello
invisibile. Pochi ti chiederanno aiuto
con affetto, nessuno senza timore.

Dreams of Animals

Mostly the animals dream
of other animals   each
according to its kind

    (though certain mice and small rodents
    have nightmares of a huge pink
    shape with five claws descending)

: moles dream of darkness and delicate
mole smells

frogs dream of green and golden
frogs
sparkling like wet suns
among the lilies
red and black
striped fish, their eyes open
have red and black striped
dreams   defence, attack, meaningful
patterns

birds dream of territories
enclosed by singing.

Sometimes the animals dream of evil
in the form of soap and metal
but mostly the animals dream
of other animals.

There are exceptions:

    the silver fox in the roadside zoo
    dreams of digging out
    and of baby foxes, their necks bitten

Sogni di animali

Per lo più gli animali sognano
altri animali   ciascuno
secondo la sua specie

        (anche se alcuni topi e piccoli roditori
        hanno incubi di un'immensa forma
        rosa planante con cinque artigli)

: le talpe sognano il buio e delicati
odori di talpe

le rane sognano rane verdi e
dorate
scintillanti come soli bagnati
fra i gigli
i pesci striati
di rosso e nero, ad occhi aperti
hanno sogni striati di rosso e
nero   difesa, attacco, significativi
paradigmi

gli uccelli sognano territori
recinti dal canto.

Talora gli animali sognano il male
sotto forma di metallo e sapone
ma per lo più gli animali sognano
altri animali.

Ci sono eccezioni:

        la volpe argentata nello zoo sulla strada
        sogna di stanarsi
        e volpacchiotti dal collo addentato

the caged armadillo
near the train
station, which runs
all day in figure eights
its piglet feet pattering,
no longer dreams
but is insane when waking;

the iguana
in the petshop window on St Catherine Street
crested, royal-eyed, ruling
its kingdom of water-dish and sawdust

dreams of sawdust.

l'armadillo in gabbia
vicino alla stazione
ferroviaria, che fa
l'acrobata tutto il giorno
le zampe da porcellino scalpitanti,
non sogna più
ma al risveglio è insano;

l'iguana
in vetrina a St Catherine Street
crestata, occhi regali, al governo
del suo regno d'acqua sporca e segatura

sogna segatura.

She Considers Evading Him

I can change my-
self more easily
than I can change you

I could grow bark and
become a shrub

or switch back in time
to the woman image left
in cave rubble, the drowned
stomach bulbed with fertility,
face a tiny bead, a
lump, queen of the termites

or (better) speed myself up,
disguise myself in the knuckles
and purple-veined veils of old ladies,
become arthritic and genteel

or one twist further:
collapse across your
bed clutching my heart
and pull the nostalgic sheet up over
my waxed farewell smile

which would be inconvenient
but final.

1. Luigi Ontani, «ossia *Diluv'*io»
China e acquarello (*Pen Drawing and Water-colour*)
cm 36 x 48 (2000)

2. Luigi Ontani, «l'Ennesimo *Proteso*»
China e acquarello (*Pen Drawing and Water-colour*)
cm 36 x 48 (2000)

3. Luigi Ontani, «*Sacro profumo d'Anima*le»
China e acquarello (*Pen Drawing and Water-colour*)
cm 36 x 48 (2000)

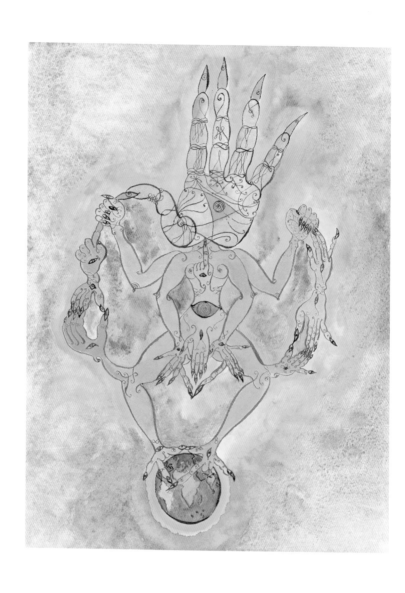

4. Luigi Ontani, «Mani*Tabù*»
China e acquarello (*Pen Drawing and Water-colour*)
cm 36 x 48 (2000)

5. Luigi Ontani, «Sire*noto in*canto ignoto»
China e acquarello (*Pen Drawing and Water-colour*)
cm 36 x 48 (2000)

6. Luigi Ontani, «*IconograFiat*»
China e acquarello (*Pen Drawing and Water-colour*)
cm 36 x 48 (2000)

7. Luigi Ontani, «*San Sebastian*Dafneo»
China e acquarello (*Pen Drawing and Water-colour*)
cm 36 x 48 (2000)

8. Luigi Ontani, «Euridic*Orfeo*»
China e acquarello (*Pen Drawing and Water-colour*)
cm 36 x 48 (2000)

Lei considera di evitarlo

È più facile che
riesca a cambiare me
stessa che non te

potrei sviluppare corteccia e
divenire un arbusto

o scattare indietro nel tempo
all'immagine di donna rimasta
fra macerie di grotta, il ventre
annegato un bulbo di fertilità,
il volto una perlina, un
grumo, regina delle termiti

o (meglio) accelerarmi,
mascherandomi nelle nocche
e nei veli venati di porpora di vecchie dame,
divenire artritica e signorile

o ancora uno scatto:
crollare sul tuo
letto stringendo il cuore in mano
e tirar su il nostalgico lenzuolo sopra
il mio cerato sorriso d'addio

il che sarebbe inconveniente
ma definitivo.

They Eat Out

In restaurants we argue
over which of us will pay for your funeral

though the real question is
whether or not I will make you immortal.

At the moment only I
can do it and so

I raise the magic fork
over the plate of beef fried rice

and plunge it into your heart.
There is a faint pop, a sizzle

and through your own split head
you rise up glowing;

the ceiling opens
a voice sings Love Is A Many

Splendoured Thing
you hang suspended above the city

in blue tights and a red cape,
your eyes flashing in unison.

The other diners regard you
some with awe, some only with boredom:

they cannot decide if you are a new weapon
or only a new advertisement.

As for me, I continue eating;
I liked you better the way you were,
but you were always ambitious.

Mangiano fuori

Al ristorante discutiamo
su chi di noi due pagherà il tuo funerale

benché il vero problema sia
se ti renderò immortale.

Al momento solo io
posso farlo e così

sollevo la forchetta magica
sopra il piatto di riso soffritto e manzo

e l'affondo nel tuo cuore.
C'è un fievole schiocco, uno sfrigolio

e attraverso la tua stessa testa divisa
tu ascendi raggiante;

il soffitto s'apre
una voce canta L'Amore È Una

Cosa Meravigliosa
pendi sospeso sulla città

in calzamaglia azzurra e cappa rossa,
gli occhi lampeggiati all'unisono.

Gli altri commensali ti guardano
chi stupefatto chi solo annoiato:

non sanno decidere se sei un ordigno nuovo
o soltanto una nuova pubblicità.

Quanto a me, continuo a mangiare;
mi piacevi di più com'eri,
ma tu sei sempre stato ambizioso.

November

i

This creature kneeling
dusted with snow, its teeth
grinding together, sound of old stones
at the bottom of a river

You lugged it to the barn
I held the lantern,
we leaned over it
as if it were being born.

ii

The sheep hangs upside down from the rope,
a long fruit covered with wool and rotting.
It waits for the dead wagon
to harvest it.

Mournful November
this is the image
you invent for me,
the dead sheep came out of your head, a legacy:

Kill what you can't save
what you can't eat throw out
what you can't throw out bury

What you can't bury give away
what you can't give away you must carry with you,
it is always heavier than you thought.

Novembre

i

Questa creatura ginocchioni
impolverata di neve, i denti
digrignanti, suono di antiche pietre
sul letto di un fiume

La trascinasti nel fienile
io reggevo la lanterna,
inclinati su di lei
come stesse nascendo.

ii

La pecora pende a testa in giù dalla fune,
un lungo frutto coperto di lana che marcisce.
Aspetta il carro mortuario
che la raccolga.

Novembre luttuoso
questa è l'immagine
che inventi per me,
la pecora morta venne dalla tua testa, un legato:

Uccidi ciò che non puoi salvare
ciò che non puoi mangiare espellilo
ciò che non puoi espellere seppelliscilo

Ciò che non puoi seppellire dallo via
ciò che non puoi dar via con te devi portarlo,
è sempre più pesante di quanto tu pensassi.

Tricks with Mirrors

i

It's no coincidence
this is a used
furniture warehouse.

I enter with you
and become a mirror.

Mirrors
are the perfect lovers,

that's it, carry me up the stairs
by the edges, don't drop me,

that would be bad luck,
throw me on the bed

reflecting side up,
fall into me,

it will be your own
mouth you hit, firm and glassy,

your own eyes you find you
are up against   closed   closed

ii

There is more to a mirror
than you looking at

your full-length body
flawless but reversed,

Giochi di specchi

i

Non è un caso
questo è un deposito
di mobili usati.

Entro con te
e divengo uno specchio.

Amanti perfetti
sono gli specchi,

è così, portami per i bordi
su per le scale, non farmi cadere,

porterebbe male,
gettami sul letto

rispecchiante verso l'alto,
cadi dentro di me,

sarà la tua stessa
bocca che colpisci, ferma e vitrea,

saranno i tuoi occhi che scopri
d'aver contro   chiusi   chiusi

ii

C'è più in uno specchio
di te che guardi

il tuo corpo a tutta lunghezza
intatto ma al contrario,

there is more than this dead blue
oblong eye turned outwards to you.

Think about the frame.
The frame is carved, it is important,

it exists, it does not reflect you,
it does not recede and recede, it has limits

and reflections of its own.
There's a nail in the back

to hang it with; there are several nails,
think about the nails,

pay attention to the nail
marks in the wood,

they are important too.

iii

Don't assume it is passive
or easy, this clarity

with which I give you yourself.
Consider what restraint it

takes: breath withheld, no anger
or joy disturbing the surface

of the ice.
You are suspended in me

beautiful and frozen, I
preserve you, in me you are safe.

It is not a trick either,
it is a craft:

mirrors are crafty.

c'è più di quest'occhio oblungo
azzurro smorto a te rivolto.

Pensa alla cornice.
La cornice è intagliata, è importante,

esiste, non ti riflette,
non continua a recedere, ha limiti

e riflessi propri.
C'è un chiodo sul retro

per appenderla; ci sono diversi chiodi,
pensa ai chiodi,

fai attenzione ai segni
dei chiodi nel legno,

sono pure importanti.

iii

Non presumere che sia passiva
o facile, questa chiarezza

con cui ti rendo te stesso.
Considera quale restrizione

implichi: fiato trattenuto, non rabbia
o gioia che turbino la superficie

del ghiaccio.
Sei sospeso in me

bello e agghiacciato, io
ti conservo, in me sei al sicuro.

Non è neanche un gioco,
È un'arte:

artefici sono gli specchi.

iv

I wanted to stop this,
this life flattered against the wall,

mute and devoid of colour,
built of pure light,

this life of vision only, split
and remote, a lucid impasse.

I confess: this is not a mirror,
it is a door

I am trapped behind.
I wanted you to see me here,

say the releasing word, whatever
that may be, open the wall.

Instead you stand in front of me
combing your hair.

v

You don't like these metaphors.
All right:

Perhaps I am not a mirror.
Perhaps I am a pool.

Think about pools.

iv

Volevo fermarla,
questa vita appiattita contro il muro,

muta e priva di colore,
costruita di pura luce,

questa vita di mera visione, scissa
e remota, una chiara impasse.

Confesso: non è uno specchio,
è una porta

ne sono intrappolata.
Volevo che mi vedessi qui,

dicessi la parola chiave, qualunque
essa sia, aprissi il muro.

Invece te ne stai di fronte a me
a pettinarti i capelli.

v

Non ti piacciono queste metafore.
D'accordo:

Forse non sono uno specchio.
Forse sono una pozza d'acqua.

Pensa alle pozze d'acqua.

Owl Song

I am the heart of a murdered woman
who took the wrong way home
who was strangled in a vacant lot and not buried
who was shot with care beneath a tree
who was mutilated by a crisp knife.
There are many of us.

I grew feathers and tore my way out of her;
I am shaped like a feathered heart.
My mouth is a chisel, my hands
the crimes done by hands.

I sit in the forest talking of death
which is monotonous:
though there are many ways of dying
there is only one death song,
the colour of mist
it says   Why   Why

I do not want revenge, I do not want expiation,
I only want to ask someone
how I was lost,
how I was lost

I am the lost heart of a murderer
who has not yet killed,
who does not yet know he wishes
to kill; who is still the same
as the others

I am looking for him,
he will have answers for me,
he will watch his step, he will be
cautious and violent, my claws
will grow through his hands
and become claws, he will not be caught.

Canto della civetta

Sono il cuore d'una donna assassinata
che sbagliò la strada di casa
che fu strangolata in un lotto libero e non sepolta
che uno sparo centrò sotto un albero
che fu mutilata con un coltello affilato.
Ce n'è molte di noi.

Spuntai piume e uscii da lei con uno strappo;
ho forma d'un cuore piumato.
Un cesello è la mia bocca, le mani
crimini di mani.

Siedo nella foresta parlando di morte
una cosa monotona:
benché molti siano i modi di morire
uno solo è il canto di morte,
color di bruma:
dice   Perché   Perché

non voglio vendetta, non voglio espiazione,
voglio solo chiedere a qualcuno
com'è che fui persa,
com'è che fui persa

sono il cuore perso d'un assassino
che non ha ancora ucciso,
che ancora non sa che desidera
uccidere; che è ancora come
gli altri

lo cerco,
avrà risposte per me,
guarderà dove mette i piedi, sarà
cauto e violento, i miei artigli
attraverso le sue mani cresceranno
e diverranno artigli, non sarà preso.

Siren Song

This is the one song everyone
would like to learn: the song
that is irresistible:

the song that forces men
to leap overboard in squadrons
even though they see the beached skulls

the song nobody knows
because anyone who has heard it
is dead, and the others can't remember.

Shall I tell you the secret
and if I do, will you get me
out of this bird suit?

I don't enjoy it here
squatting on this island
looking picturesque and mythical

with these two feathery maniacs,
I don't enjoy singing
this trio, fatal and valuable.

I will tell the secret to you
to you, only to you.
Come closer. This song

is a cry for help: Help me!
Only you only you can,
you are unique

at last. Alas
it is a boring song
but it works every time.

Canto della Sirena

Questo è il solo canto che tutti
vorrebbero imparare: il canto
irresistibile:

il canto che spinge uomini
a saltar fuoribordo a squadre
pur vedendo teschi a riva

il canto che nessuno conosce
perché chiunque l'abbia udito
è morto, e gli altri non ricordano.

Devo dirti il segreto
e se lo faccio, mi libererai
da questa veste d'uccello?

Non mi piace star qui
accovacciata su quest'isola
con aria mitica e pittoresca

con questi due maniaci piumati,
non mi piace cantare
un trio valevole e fatale.

Dirò il segreto a te,
a te, solo a te.
Vieni più vicino. Questo canto

è un grido d'aiuto: Aiutami!
Solo tu, solo tu puoi,
tu sei unico

finalmente. Ahimè
è un canto tedioso
ma funziona sempre.

There Is Only One of Everything

Not a tree but the tree
we saw, it will never exist, split by the wind
                    and bending down
like that again. What will push out of the earth

later, making it summer, will not be
grass, leaves, repetition, there will
have to be other words. When my

eyes close language vanishes. The cat
with the divided face, half black half orange
nests in my scruffy fur coat, I drink tea,

fingers curved around the cup, impossible
to duplicate these flavours. The table
and freak plates glow softly, consuming themselves,

I look out at you and you occur
in this winter kitchen, random as trees or sentences,
entering me, fading like them, in time you will disappear

but the way you dance by yourself
on the tile floor to a worn song, flat and mournful,
so delighted, spoon waved in one hand, wisps of
                    roughened hair

sticking up from your head, it's your surprised
body, pleasure I like. I can even say it,
though only once and it won't

last: I want this. I want
this.

Di ogni cosa ce n'è una sola

Non un albero ma l'albero
vedemmo, che mai esisterà, spaccato dal vento
       e di nuovo incurvato
giù a quel modo. Ciò che sprigionerà dalla terra

poi, facendola estate, non saranno
foglie, erba, ripetizioni, dovranno
esserci altre parole. Quando i miei

occhi si chiudono la lingua svanisce. Il gatto
con la faccia divisa, mezza nera mezza arancio
s'annida nella mia pelliccia sbrindellata, bevo tè,

le dita che racchiudono la tazza, impossibile
duplicare queste fragranze. La tavola
e i piatti bizzarri luccicano debolmente, consumandosi,

tendo a te lo sguardo e tu capiti
in questa cucina d'inverno, a caso come gli alberi o le frasi,
entrandomi dentro, svanendo come loro, col tempo scomparirai

ma il modo in cui balli da sola
sulle mattonelle al suono di un logoro motivo, piatto e dolente,
così esultante, sventolando il cucchiaio con una mano, fili di
       capelli arruffati

che ti si rizzano in testa, è il tuo corpo stupito,
il godimento che a me piace. Posso anche dirlo,
benché una volta sola e non sarà

per sempre: Voglio questo. Voglio
questo.

Five Poems for Dolls

i

Behind glass in Mexico
this clay doll draws
its lips back in a snarl;
despite its beautiful dusty shawl,
it wishes to be dangerous.

ii

See how the dolls resent us,
with their bulging foreheads
and minimal chins, their flat bodies
never allowed to bulb and swell,
their faces of little thugs.

This is not a smile,
this glossy mouth, two stunted teeth;
the dolls gaze at us
with the filmed eyes of killers.

iii

There have always been dolls
as long as there have been people.
In the trash heaps and abandoned temples
the dolls pile up;
the sea is filling with them.

What causes them?
Or are they gods, causeless,
something to talk to
when you have to talk,
something to throw against the wall?

A doll is a witness

Cinque poesie per le bambole

i

Sotto vetro in Messico
questa bambola d'argilla contrae
le labbra in una smorfia;
a dispetto dello scialle bello, impolverato,
vuol essere pericolosa.

ii

Guarda come si risentono le bambole,
con la fronte sporgente
e il mento minuto, il corpo piatto
cui non è dato diventare tondo e gonfio,
il volto da piccole canaglie.

Questo non è un sorriso,
questa bocca lucida, due miseri dentini;
le bambole ci guardano
con velati occhi assassini.

iii

Ci sono sempre state bambole
da quando esiste l'uomo.
Nei mucchi di pattume e in templi abbandonati
le bambole s'ammassano;
il mare se ne sta riempiendo.

Chi ne è la causa?
Oppure sono divinità, senza causa,
qualcosa a cui parlare
quando si deve parlare,
qualcosa da lanciare contro il muro?

Una bambola è un testimone

who cannot die,
with a doll you are never alone.

On the long journey under the earth,
in the boat with two prows,
there were always dolls.

iv

Or did we make them
because we needed to love someone
and could not love each other?

It was love, after all,
that rubbed the skins from their grey cheeks,
crippled their fingers,
snarled their hair, brown or dull gold.
Hate would merely have smashed them.

You change, but the doll
I made of you lives on,
a white body leaning
in a sunlit window, the features
wearing away with time,
frozen in the gaunt pose
of a single day,
holding in its plaster hand
your doll of me.

v

Or: all dolls come
from the land of the unborn,
the almost-born; each
doll is a future
dead at the roots,
a voice heard only
on breathless nights,
a desolate white memento.

Or: these are the lost children,
those who have died or thickened

che non può morire,
con una bambola non si è mai soli.

Nel lungo viaggio sotto terra
sulla barca a due prue,
ce n'erano sempre.

iv

Oppure le abbiamo create
dal bisogno di amare qualcuno
incapaci d'amarci?

È stato l'amore, dopo tutto,
a consumare la pelle dalle grigie guance,
a storpiarne le dita,
arruffarne la chioma castana o oro spento.
L'odio le avrebbe semplicemente infrante.

Tu cambi, ma la bambola
che di te ho fatto vive,
corpo bianco affacciato
a un'assolata finestra, i tratti
consumantisi col tempo,
fissata nella posa sparuta
d'un solo giorno,
con nella mano di stucco
la bambola che tu hai fatto di me.

v

Oppure: tutte le bambole vengono
dalla terra dei non nati,
dei nascituri; ogni
bambola è una morte
futura all'origine,
voce udita solo
nelle notti senza alito,
bianco monito desolato.

Oppure: questi sono i bambini persi,
quelli che sono morti o ben

to full growth and gone away.

The dolls are their souls or cast skins
which line the shelves of our bedrooms
and museums, disguised as outmoded toys,
images of our sorrow,
shedding around themselves
five inches of limbo.

cresciuti e scomparsi.

Le bambole sono le loro anime o pelli smesse
che si allineano sui ripiani delle nostre camere
e dei musei, travestite da giocattoli fuori moda,
immagini del nostro dolore,
e spargono intorno
lembi di limbo.

Night Poem

There is nothing to be afraid of,
it is only the wind
changing to the east, it is only
your father   the thunder
your mother   the rain

In this country of water
with its beige moon damp as a mushroom,
its drowned stumps and long birds
that swim, where the moss grows
on all sides of the trees
and your shadow is not your shadow
but your reflection,

your true parents disappear
when the curtain covers your door.
We are the others,
the ones from under the lake
who stand silently beside your bed
with our heads of darkness.
We have come to cover you
with red wool,
with our tears and distant whispers.

You rock in the rain's arms,
the chilly ark of your sleep,
while we wait, your night
father and mother,
with our cold hands and dead flashlight,
knowing we are only
the wavering shadows thrown
by one candle, in this echo
you will hear twenty years later.

Poesia notturna

Non c'è nulla da temere,
è solo il vento
che cambia ad oriente, è solo
tuo padre   il tuono
tua madre   la pioggia

In questa terra d'acqua
con la pallida luna umida come un fungo,
i ceppi fradici e i lunghi uccelli
che nuotano, dove cresce il muschio
su ogni fianco degli alberi
e la tua ombra non è la tua ombra
ma il tuo riflesso,

i tuoi veri genitori svaniscono
quando la tenda copre la porta.
Noi siamo gli altri,
quelli da sotto il lago
che stanno silenti accanto al tuo letto
con il capo di tenebre.
Siamo giunti per coprirti
di lana rossa,
di lacrime e remoti sussurri.

Ti culli nelle braccia della pioggia,
l'arca gelida del tuo sonno,
mentre attendiamo, padre e madre tuoi
notturni, con mani fredde e torce spente,
sapendo che siamo solo
tremule ombre proiettate
da una candela, e quest'eco
risuonerà per vent'anni.

True Stories

i

Don't ask for the true story;
why do you need it?

It's not what I set out with
or what I carry.

What I'm sailing with,
a knife, blue fire,

luck, a few good words
that still work, and the tide.

ii

The true story was lost
on the way down to the beach, it's something

I never had, that black tangle
of branches in a shifting light,

my blurred footprints
filling with salt

water, this handful
of tiny bones, this owl's kill;

a moon, crumpled papers, a coin,
the glint of an old picnic,

the hollows made by lovers
in sand a hundred

years ago: no clue.

Storie vere

i

Non chiedere la storia vera;
perché la vuoi?

Non è cosa con cui mi son messa in viaggio
o che porto con me.

Qualcosa con cui navigo,
coltello, fuoco bluastro,

fortuna, poche buone parole
che ancora funzionano, e la marea.

ii

La storia vera è andata perduta
sulla via per la spiaggia, è qualcosa

che non ho avuto mai, quell'intrico nero
di rami in una luce mutevole,

le mie orme confuse
che si riempiono d'acqua

salsa, questa manciata
di ossicini, preda di questo gufo;

una luna, fogli accartocciati, una moneta,
il bagliore di un picnic consumato,

l'impronta lasciata dagli amanti
nella sabbia un secolo

fa: nessun indizio.

iii

The true story lies
among the other stories,

a mess of colours, like jumbled clothing
thrown off or away,

like hearts on marble, like syllables, like
butchers' discards.

The true story is vicious
and multiple and untrue

after all. Why do you
need it? Don't ever

ask for the true story.

iii

La vera storia si trova
fra le altre storie,

una confusione di colori, come vestiti ammucchiati
gettati da parte o via,

come cuori sul marmo, come sillabe,
scarti di macellaio.

La vera storia è perversa
multiforme e non vera

dopo tutto. Perché la
vuoi? Non chiedere mai

la vera storia.

Nothing

Nothing like love to put blood
back in the language,
the difference between the beach and its
discrete rocks & shards, a hard
cuneiform, and the tender cursive
of waves; bone & liquid fishegg, desert
& saltmarsh, a green push
out of death. The vowels plump
again like lips or soaked fingers, and the fingers
themselves move around these
softening pebbles as around skin. The sky's
not vacant and over there but close
against your eyes, molten, so near
you can taste it. It tastes of
salt. What touches
you is what you touch.

Nulla

Nulla come l'amore fa rifluire il sangue
nel linguaggio
la differenza tra spiaggia e
rocce & distinti frammenti, un duro
cuneiforme, e il tenero corsivo
delle onde; ossa & liquide uova di pesce, deserto
& salsa palude, una verde spinta
fuori dalla morte. Le vocali si gonfiano
di nuovo come labbra o dita fradice, e le dita
stesse scorrono su questi
ciottoli levigati come sulla pelle. Il cielo
lassù non è vuoto ma vicino,
contro i tuoi occhi, liquefatto, così prossimo
da poterlo gustare. Sa di
sale. Ogni cosa che tocca te
è ciò che tu tocchi.

A Women's Issue

The woman in the spiked device
that locks around the waist and between
the legs, with holes in it like a tea strainer
is Exhibit A.

The woman in black with a net window
to see through and a four-inch
wooden peg jammed up
between her legs so she can't be raped
is Exhibit B.

Exhibit C is the young girl
dragged into the bush by the midwives
and made to sing while they scrape the flesh
from between her legs, then tie her thighs
till she scabs over and is called healed.

Now she can be married.
For each childbirth they'll cut her
open, then sew her up.
Men like tight women.
The ones that die are carefully buried.

The next exhibit lies flat on her back
while eighty men a night
move through her, ten an hour.
She looks at the ceiling, listens
to the door open and close.
A bell keeps ringing.
Nobody knows how she got here.

You'll notice that what they have in common
is between the legs. Is this
why wars are fought?

Un problema di donne

La donna con la cintura chiodata
stretta intorno alla vita e tra
le gambe, piena di fori come un colino
è l'Esemplare A.

La donna in nero che guarda fuori attraverso
una rete con un piolo d'otto centimetri
di legno infilato su
tra le gambe per evitare stupri
è l'Esemplare B.

L'Esemplare C è la ragazzina
trascinata tra i cespugli dalle mammane
e costretta a cantare mentre le raschian via la carne
tra le gambe, per poi legarle le cosce
finché si cicatrizza e può dirsi guarita.

Ora si può sposare.
Per ogni parto la taglieranno
tutta, per poi ricucirla.
Agli uomini le donne piacciono strette.
Quelle che muoiono sono sepolte con cura.

Quella dell'esemplare successivo giace supina
mentre ottanta uomini per notte
le si muovono dentro, dieci all'ora.
Guarda verso il soffitto, ascoltando
la porta che si apre e si chiude.
Un campanello suona incessante.
Nessuno sa come sia finita lì.

Noterai che quel che hanno in comune
l'hanno tra le gambe. È per questo
che si fanno le guerre?

Enemy territory, no man's
land, to be entered furtively,
fenced, owned but never surely,
scene of these desperate forays
at midnight, captures
and sticky murders, doctors' rubber gloves
greasy with blood, flesh made inert, the surge
of your own uneasy power.

This is no museum.
Who invented the word *love*?

Territorio nemico, terra di
nessuno, da penetrare furtivamente,
recinta, posseduta ma non con certezza,
scena di queste disperate incursioni
a mezzanotte, catture
e delitti viscosi, guanti di gomma da dottore
impiastrati di sangue, carne resa inerte, il rifluire
del tuo stesso instabile potere.

Questo non è un museo.
Chi ha inventato la parola *amore*?

Notes Towards a Poem That Can Never Be Written

For Carolyn Forché

i

This is the place
you would rather not know about,
this is the place that will inhabit you,
this is the place you cannot imagine,
this is the place that will finally defeat you

where the word *why* shrivels and empties
itself. This is famine.

ii

There is no poem you can write
about it, the sandpits
where so many were buried
& unearthed, the unendurable
pain still traced on their skins.

This did not happen last year
or forty years ago but last week.
This has been happening,
this happens.

We make wreaths of adjectives for them,
we count them like beads,
we turn them into statistics & litanies
and into poems like this one.

Nothing works.
They remain what they are.

iii

The woman lies on the wet cement floor
under the unending light,

Note per una poesia che non sarà mai scritta

Per Carolyn Forché

i

Questo è il luogo
di cui preferiresti non sapere,
questo è il luogo che abiterà dentro di te,
questo è il luogo che non puoi immaginare,
questo è il luogo che ti sconfiggerà alla fine

dove la parola *perché* avvizzisce e svuota
se stessa. Questa è la carestia.

ii

Non c'è poesia che tu possa scrivere
su questo, le cave di sabbia
dove tanti furono sepolti
& dissotterrati, l'intollerabile
dolore ne traccia ancora la pelle.

Questo non accadde l'anno scorso
o quarant'anni fa ma la scorsa settimana.
Questo è accaduto finora,
questo accade.

Intrecciamo per loro corone di aggettivi,
li contiamo come grani di rosario,
li trasformiamo in statistiche & litanie
e in poesie come questa.

Ma non funziona.
Rimangono quello che sono.

iii

La donna giace sul pavimento bagnato
sotto la luce senza fine,

needle marks on her arms put there
to kill the brain
and wonders why she is dying.

She is dying because she said.
She is dying for the sake of the word.
It is her body, silent
and fingerless, writing this poem.

iv

It resembles an operation
but it is not one

nor despite the spread legs, grunts
& blood, is it a birth.

Partly it's a job,
partly it's a display of skill
like a concerto.

It can be done badly
or well, they tell themselves.

Partly it's an art.

v

The facts of this world seen clearly
are seen through tears;
why tell me then
there is something wrong with my eyes?

To see clearly and without flinching,
without turning away,
this is agony, the eyes taped open
two inches from the sun.

What is it you see then?
Is it a bad dream, a hallucination?
Is it a vision?
What is it you hear?

segni d'ago lasciati sulle braccia
per ucciderle il cervello
e si domanda perché muore.

Muore perché ha detto.
Muore per amore della parola.
È il suo corpo, silente
e senza dita, che scrive questa poesia.

iv

Assomiglia ad un'operazione
ma non lo è

né malgrado le gambe divaricate, i gemiti
& il sangue, è questo un parto.

In parte è un lavoro,
in parte è una prova di bravura
come un concerto.

Si può eseguire male
oppure bene, dicono a se stessi.

In parte è un'arte.

v

I fatti di questo mondo veduti chiaramente
si vedono attraverso le lacrime;
perché dimmi allora
c'è qualcosa che non va con i miei occhi?

Veder chiaramente e senza esitazione,
senza voltar lo sguardo,
questa è un'agonia, gli occhi fissi spalancati
cinque centimetri dal sole.

Cos'è che vedi allora?
È un brutto sogno, un'allucinazione?
È una visione?
Cos'è che odi?

The razor across the eyeball
is a detail from an old film.
It is also a truth.
Witness is what you must bear.

vi

In this country you can say what you like
because no one will listen to you anyway,
it's safe enough, in this country you can try to write
the poem that can never be written,
the poem that invents
nothing and excuses nothing,
because you invent and excuse yourself each day.

Elsewhere, this poem is not invention.
Elsewhere, this poem takes courage.
Elsewhere, this poem must be written
because the poets are already dead.

Elsewhere, this poem must be written
as if you are already dead,
as if nothing more can be done
or said to save you.

Elsewhere you must write this poem
because there is nothing more to do.

Il rasoio attraverso l'occhio
è un dettaglio da vecchio film.
È anche una verità.
Rendere testimonianza è tuo dovere.

vi

In questo paese puoi dire ciò che vuoi
ché comunque non ti ascolterà nessuno,
sei piuttosto al sicuro, in questo paese puoi tentar di scrivere
la poesia che non sarà mai scritta,
la poesia che non inventa
niente e che non scusa niente
perché tu inventi e scusi te stesso tutti i giorni.

Altrove, questa poesia non è invenzione.
Altrove, questa poesia prende coraggio.
Altrove, questa poesia deve essere scritta
perché i poeti ormai sono morti.

Altrove, questa poesia deve essere scritta
come se tu fossi già morto,
come se niente potesse esser più fatto
o detto per salvarti.

Altrove devi scrivere questa poesia
perché non c'è niente più da fare.

Variations on the Word Sleep

I would like to watch you sleeping,
which may not happen.
I would like to watch you,
sleeping. I would like to sleep
with you, to enter your
sleep as its smooth dark wave
slides over my head

and walk with you through that lucent
wavering forest of bluegreen leaves
with its watery sun & three moons
towards the cave where you must descend,
towards your worst fear

I would like to give you the silver
branch, the small white flower, the one
word that will protect you
from the grief at the center
of your dream, from the grief
at the center. I would like to follow
you up the long stairway
again & become
the boat that would row you back
carefully, a flame
in two cupped hands
to where your body lies
beside me, and you enter
it as easily as breathing in

I would like to be the air
that inhabits you for a moment
only. I would like to be that unnoticed
& that necessary.

Variazioni sulla parola sonno

Vorrei guardarti mentre dormi,
e ciò può non accadere.
Vorrei guardarti,
mentre dormi. Vorrei dormire
con te, entrare nel tuo
sonno mentre la sua liscia onda scura
scivola sopra la mia testa

ed andare con te attraverso quella lucente
tremula foresta di foglie verde mare
col suo liquido sole & le tre lune
verso la cavità dove devi discendere,
incontro alla tua estrema paura

Vorrei darti l'argenteo
ramo, il fiorellino bianco, quella sola
parola che ti proteggerà
dal dolore al centro
del tuo sogno, dal dolore
al centro. Vorrei seguirti
per la lunga scalinata
di nuovo & divenire
la barca pronta a riportarti a remi
con cura, una fiamma
racchiusa tra due mani
là dove il tuo corpo giace
accanto a me e tu vi entri
con la leggerezza di un respiro

Vorrei essere l'aria
che abita in te per un momento
solo. Vorrei essere tanto inosservata
& tanto necessaria.

Last Day

This is the last day of the last week.
It's June, the evenings touching
our skins like plush, milkweeds sweetening
the sticky air which pulses
with moths, their powdery wings and velvet
tongues. In the dusk, nighthawks and the fluting
voices from the pond, its edges
webbed with spawn. Everything
leans into the pulpy moon.

In the mornings the hens
make egg after egg, warty-shelled
and perfect; the henhouse floor
packed with old shit and winter straw
trembles with flies, green and silver.

Who wants to leave it, who wants it
to end, water moving
against water, skin
against skin? We wade
through moist sun-
light towards nothing, which is oval

and full. This egg
in my hand is our last meal,
you break it open and the sky
turns orange again and the sun rises
again and this is the last day again.

L'ultimo giorno

Questo è l'ultimo giorno dell'ultima settimana.
È giugno, le sere un tocco
felpato sulla pelle, euforbie addolciscono
l'aria vischiosa che pulsa
di falene, le ali di cipria e le lingue di
velluto. Al crepuscolo, caprimulgi e voci
flautate dallo stagno, le sponde
intessute di uova. Ogni cosa
tende alla polposa luna.

La mattina le chiocce
fanno uova dopo uova, gibbose
e perfette; il suolo del pollaio
cosparso di vecchio sterco e paglia invernale
tremola di mosche, verdi e argento.

Chi vuole lasciarlo, chi vuole
che finisca, acqua
contro acqua, pelle
contro pelle? Guadiamo
per l'umida luce
solare verso il nulla, che è ovale

e pieno. Quest'uovo
nella mia mano è il nostro ultimo pasto,
lo rompi e il cielo
diventa ancora arancio e il sole sorge
ancora e questo è ancora l'ultimo giorno.

Iconography

He wants her arranged just so. He wants her, arranged. He arranges to want her.

This is the arrangement they have made. With strings attached, or ropes, stockings, leather straps. What else is arranged? Furniture, flowers. For contemplation and a graceful disposition of parts to compose a unified and aesthetic whole.

Once she wasn't supposed to like it. To have her in a position she didn't like, that was power. Even if she liked it she had to pretend she didn't. Then she was supposed to like it. To make her do something she didn't like and then make her like it, that was greater power. The greatest power of all is when she doesn't really like it but she's supposed to like it, so she has to pretend.

Whether he's making her like it or making her dislike it or making her pretend to like it is important but it's not the most important thing. The most important thing is making her. Over, from nothing, new. From scratch, the way he wants.

It can never be known whether she likes it or not. By this time she doesn't know herself. All you see is the skin, that smile of hers, flat but indelible, like a tattoo. Hard to tell, and she never will, she can't. They don't get into it unless they like it, he says. He has the last word. He has the word.

Watch yourself. That's what the mirrors are for, this story is a mirror story which rhymes with horror story, almost but not quite. We fall back into these rhythms as if into safe hands.

Iconografia

La vuole sistemata proprio così. La vuole, sistemata. Sistema tutto per volerla.

Questa è la sistemazione che hanno deciso. Vi sono attaccate stringhe, o corde, calze, strisce di cuoio. Che altro è sistemato? Mobili, fiori. Per la contemplazione e un'elegante disposizione delle parti sì da comporre un insieme estetico unitario.

Un tempo si riteneva che a lei non dovesse piacere. Averla in una posizione che a lei non piaceva, quello era potere. Anche se le piaceva doveva fingere il contrario. Poi si ritenne che le dovesse piacere. Farle fare qualcosa che non le piaceva e poi farglielo piacere, quello era maggior potere. Il massimo del potere è quando a lei non piace davvero ma si ritiene che debba piacerle, quindi deve finger che le piaccia.

Che lui riesca a farglielo piacere o non piacere o farle fingere che le piaccia è importante ma non è la cosa più importante. Più importante di tutto è farsela. Ancora, dal niente, in modo nuovo. Da zero, come vuole lui.

Non si potrà mai sapere se le piace o no. A questo punto non lo sa nemmeno lei. Quel che vedi è solo la pelle, quel suo sorriso, piatto ma indelebile, come un tatuaggio. Difficile a dirsi, e lei non lo dirà mai, non può dirlo. Non lo fanno, lui dice, a meno che non faccia loro piacere. Lui ha l'ultima parola. Lui ha la parola.

Guardati. È per questo che ci sono gli specchi, questa storia è una storia di specchi che rima con storia dell'orrore, quasi ma non proprio. Ricadiamo in questi ritmi come in mani sicure.

Snake Woman

I was once the snake woman,

the only person, it seems, in the whole place
who wasn't terrified of them.

I used to hunt with two sticks
among milkweed and under porches and logs
for this vein of cool green metal
which would run through my fingers like mercury
or turn to a raw bracelet
gripping my wrist:

I could follow them by their odour,
a sick smell, acid and glandular,
part skunk, part inside
of a torn stomach,
the smell of their fear.

Once caught, I'd carry them,
limp and terrorized, into the dining room,
something even men were afraid of.
What fun I had!
Put that thing in my bed and I'll kill you.

Now, I don't know.
Now I'd consider the snake.

Donna dei Serpenti

Ero una volta la donna dei serpenti,

l'unica persona, pare, del posto
che non ne fosse terrorizzata.

Andavo a caccia con due bastoni
fra le euforbie e sotto i portici e i ceppi
di questa vena di freddo verde metallo
che mi scorreva fra le dita come mercurio
o si trasformava in un grezzo bracciale
una morsa al polso:

ne seguivo l'odore,
odore nauseante, acido e ghiandolare,
parte mefite, e parte visceri
di uno stomaco lacerato,
odore della loro paura.

Una volta presi, li portavo,
flosci e terrorizzati, nella stanza da pranzo,
qualcosa che persino gli uomini temevano.
Come mi divertivo!
Mettimi quella cosa nel letto e ti ammazzo.

Ora, non so.
Ora accetterei il serpente.

Eating Snake

I too have taken the god into my mouth,
chewed it up and tried not to choke on the bones.
Rattlesnake it was, panfried
and good too though a little oily.

(Forget the phallic symbolism:
two differences:
snake tastes like chicken,
and who ever credited the prick with wisdom?)

All peoples are driven
to the point of eating their gods
after a time: it's the old greed
for a plateful of outer space, that craving for darkness,
the lust to feel what it does to you
when your teeth meet in divinity, in the flesh,
when you swallow it down
and you can see with its own cold eyes,
look out through murder.

This is a lot of fuss to make about mere lunch:
metaphysics with onions.
The snake was not served with its tail in its mouth
as would have been appropriate.
Instead the cook nailed the skin to the wall,
complete with rattles, and the head was mounted.
It was only a snake after all.

(Nevertheless, the authorities are agreed:
God is round.)

Mangiando Serpenti

Anch'io ho messo il dio in bocca,
l'ho masticato senza soffocarmi con le ossa.
Serpente a sonagli era, fritto
e pure buono sebbene un po' unto.

(Dimentica il simbolismo fallico:
due differenze:
il serpente sa di pollo,
e chi ha mai attribuito saggezza al cazzo?)

Tutti i popoli sono spinti
al punto di mangiare i loro dei
dopo un certo tempo: è l'antica ingordigia
per un piatto di spazio cosmico, quella brama di oscurità,
la voglia di sentire l'effetto che fa
quando i denti affondano nella divinità, nella carne,
quando la inghiotti
e vedi con i suoi stessi gelidi occhi,
osservi attraverso l'assassinio.

Quanto trambusto per un semplice pranzo:
metafisica con cipolle.
Il serpente non è stato servito con la coda in bocca
come sarebbe stato appropriato.
Invece il cuoco ha inchiodato la pelle alla parete,
completa di sonagli, e la testa è stata montata.
Non era che un serpente, dopo tutto.

(Ciononostante, le autorità concordano:
Dio è rotondo.)

Metempsychosis

Somebody's grandmother glides through the bracken,
in widow's black and graceful
and sharp as ever: see how her eyes glitter!

Who were you when you were a snake?

This one was a dancer who is now
a green streamer waved by its own breeze
and here's your blunt striped uncle, come back
to bask under the wicker chairs
on the porch and watch over you.

Unfurling itself from its cast skin,
the snake proclaims resurrection
to all believers

though some tire soon of being born
over and over; for them there's the breath
that shivers in the yellow grass,
a papery finger, half of a noose, a summons
to the dead river.

Who's that in the cold cellar
with the apples and the rats? Whose is
that voice of a husk rasping in the wind?
Your lost child whispering *Mother*,
the one more child you never had,
you child who wants back in.

Metempsicosi

Una nonna scivola fra le felci,
Vestita di nero e di grazia,
e attenta come sempre: guarda come le brillano gli occhi!

Chi eri quando eri un serpente?

Lei era una danzatrice e ora è
un nastro verde agitato dalla propria brezza
ed ecco tuo zio tozzo e striato, che torna
a crogiolarsi sotto le sedie di vimini
sul portico e a sorvegliarti.

Sgusciando dalla pelle
il serpente proclama la resurrezione
a tutti i credenti

sebbene alcuni si stanchino presto di nascere
e rinascere; per loro vi è il respiro
che alita nell'erba giallastra,
un dito cartaceo, un mezzo cappio, una chiamata
al fiume morto.

Chi è là nella fredda cantina
con le mele e i ratti? Quale
voce dall'involucro sibila rauca nel vento?
Il tuo bambino perduto che sussurra *Madre*,
l'altro bambino che non hai mai avuto,
tu bambina che lo rivuoi dentro.

After Heraclitus

The snake is one name of God,
my teacher said:
All nature is a fire
we burn in and are
renewed, one skin
shed and then another.

To talk with the body
is what the snake does, letter
after letter formed on the grass,
itself a tongue, looping its earthy hieroglyphs,
the sunlight praising it
as it shines there on the doorstep,
a green light blessing your house.

This is the voice
you could pray to for the answers
to your sickness:
leave it a bowl of milk,
watch it drink
You do not pray, but go for the shovel,
old blood on the blade

But pick it up and you would hold
the darkness that you fear
turned flesh and embers,
cool power coiling into your wrists
and it would be in your hands
where it always has been.

This is the nameless one
giving itself a name,
one among many

and your own name as well.

You know this and still kill it.

Secondo Eraclito

Il serpente è un nome di Dio,
disse il mio maestro:
Tutta la natura è fuoco
in cui bruciamo e ci
rinnoviamo, una pelle
si muta e poi un'altra.

Parlare col corpo
è ciò che fa il serpente, lettera
su lettera formata sull'erba,
egli stesso lingua, che rannoda i suoi geroglifici di terra,
la luce del sole lo glorifica
mentre splende lì sulla soglia,
una luce verde che benedice la tua casa.

Questa è la voce
cui si può intercedere per una risposta
al tuo male:
lasciagli una ciotola di latte,
guardalo bere
Non preghi ma cerchi il badile,
sangue antico sulla lama

Ma raccoglilo e avrai
l'oscurità che temi
fatta carne e braci
freddo potere che s'attorciglia ai polsi
e sarà nelle tue mani
dove è sempre stato.

Ecco il senza nome
che si dà un nome,
uno fra molti

compreso il tuo.

Tu lo sai eppure lo uccidi.

The Saints

The saints cannot distinguish
between being with other people and being
alone: another good reason for becoming one.

They live in trees and eat air.
Staring past or through us, they see
things which we would call not there.
We on the contrary see them.

They smell of old fur coats
stored for a long time in the attic.
When they move they ripple.
Two of them passed here yesterday,
filled and vacated and filled
by the wind, like drained pillows
blowing across a derelict lot,
their twisted and scorched feet
not touching the ground,
their feathers catching in thistles.
What they touched emptied of colour.

Whether they are dead or not
is a moot point.
Shreds of them litter history,
a hand here, a bone there:
is it suffering or goodness
that makes them holy,
or can anyone tell the difference?

Though they pray, they do not pray
for us. Prayers peel off them
like burned skin healing.
Once they tried to save something,
others or their own souls.

I santi

I santi non sanno distinguere
tra essere con gli altri ed essere
soli: un'altra buona ragione per diventare uno di loro.

Vivono sugli alberi e si nutrono d'aria.
Fissando oltre o attraverso noi, vedono
cose che noi non vediamo.
Noi al contrario li vediamo.

Odorano di vecchie pellicce
riposte da lungo tempo in soffitta.
Quando si muovono, ondeggiano.
Due di loro sono passati di qui ieri,
gonfiati dal vento, flosci, gonfiati ancora,
come cuscini svuotati
sospinti su un terreno abbandonato;
i piedi contorti e ustionati
non toccano terra,
le piume si impigliano nei cardi.
Quanto hanno toccato ha perso colore.

Se siano morti o meno
è punto controverso.
Brandelli di santi cospargono la storia,
una mano qui, un osso là:
è la sofferenza o la bontà
che li rende santi,
ma si può percepire la differenza?

Anche se pregano, non pregano
per noi. Le preghiere si squamano
come pelle bruciata che si rimargina.
Una volta hanno cercato di salvare qualcosa,
la loro anima o quella degli altri.

Now they seem to have no use,
like the colours on blind fish.
Nevertheless they are sacred.

They drift through the atmosphere,
their blue eyes sucked dry
by the ordeal of seeing,
exuding gaps in the landscape as water
exudes mist. They blink
and reality shivers.

Ora sembra non abbiano alcuna utilità,
come i colori per un pesce cieco.
Eppure sono sacri.

Vagano nell'atmosfera,
i loro occhi blu prosciugati
dal travaglio del vedere,
diffondendo spaccature nel paesaggio come l'acqua
diffonde vapore. Battono le ciglia
e la realtà trema.

Orpheus (1)

You walked in front of me,
pulling me back out
to the green light that had once
grown fangs and killed me.

I was obedient, but
numb, like an arm
gone to sleep; the return
to time was not my choice.

By then I was used to silence.
Though something stretched between us
like a whisper, like a rope:
my former name,
drawn tight.
You had your old leash
with you, love you might call it,
and your flesh voice.

Before your eyes you held steady
the image of what you wanted
me to become: living again.
It was this hope of yours that kept me following.

I was your hallucination, listening
and floral, and you were singing me:
already new skin was forming on me
within the luminous misty shroud
of my other body; already
there was dirt on my hands and I was thirsty.

I could see only the outline
of your head and shoulders,
black against the cave mouth,

Orfeo (1)

Mi precedevi,
nel riportarmi fuori
alla luce verde cui un dì zanne
erano spuntate che mi uccisero.

Ubbidivo, ma
obnubilata, come un braccio
intorpidito; il ritorno
al tempo non era una mia scelta.

Ormai ero usa al silenzio.
Benché qualcosa si stendesse fra noi
come un sussurro, una fune:
il mio nome di prima,
teso.
Avevi con te il vecchio
guinzaglio, chiamalo amore,
la tua voce di carne.

Innanzi agli occhi salda ti era
l'immagine di quel che volevi
io divenissi: di nuovo in vita.
Per questa tua speranza ti seguii.

Ero la tua allucinazione, in ascolto
e floreale, e di me cantavi:
già nuova pelle mi cresceva
dentro il luminoso sudario di bruma
dell'altro mio corpo; già
sudice m'erano le mani e avevo sete.

Scorgevo solo il profilo
del tuo capo e delle spalle,
nero contro la bocca della caverna,

and so could not see your face
at all, when you turned

and called to me because you had
already lost me. The last
I saw of you was a dark oval.
Though I knew how this failure
would hurt you, I had to
fold like a grey moth and let go.

You could not believe I was more than your echo.

e così non vidi affatto
il tuo volto, quando ti girasti

e mi chiamasti perché m'avevi
già persa. L'ultima cosa
che di te vidi fu un ovale scuro.
Pur sapendo come quest'insuccesso
t'avrebbe addolorato, pari a grigia
falena dovetti ripiegarmi e mollare.

Non credevi che io fossi più della tua eco.

Interlunar

Darkness waits apart from any occasion for it;
like sorrow it is always available.
This is only one kind,

the kind in which there are stars
above the leaves, brilliant as steel nails
and countless and without regard.

We are walking together
on dead wet leaves in the intermoon
among the looming nocturnal rocks
which would be pinkish grey
in daylight, gnawed and softened
by moss and ferns, which would be green,
in the musty fresh yeast smell
of trees rotting, each returning
itself to itself

and I take your hand, which is the shape a hand
would be if you existed truly.
I wish to show you the darkness
you are so afraid of.

Trust me. This darkness
is a place you can enter and be
as safe in as you are anywhere;
you can put one foot in front of the other
and believe the sides of your eyes.
Memorize it. You will know it
again in your own time.
When the appearances of things have left you,
you will still have this darkness.
Something of your own you can carry with you.

Interlunio

L'oscurità attende al di là di ogni occasione;
come il dolore è sempre disponibile.
Questa è solo una variante,

la variante in cui vi sono stelle
sopra le foglie, brillanti come chiodi di acciaio
innumerevoli e incuranti.

Camminiamo assieme
su umide foglie morte nell'interlunio
fra indistinte rocce notturne
che sarebbero grigio rosate
alla luce del giorno, corrose e ammorbidite
da muschio e felci, che sarebbero verdi
nell'odore stantio di lievito fresco
di alberi marcescenti: terra che ritorna
a se stessa

e ti prendo la mano, che avrebbe la forma di
una mano se tu esistessi veramente.
Vorrei mostrarti l'oscurità
che tanto temi.

Fidati di me. Questa oscurità
è luogo in cui puoi entrare ed essere
al sicuro come in qualsiasi altro luogo;
puoi mettere un piede davanti all'altro
e credere allo scorcio dei tuoi occhi.
Memorizzalo. Lo riconoscerai
al momento giusto.
Quando l'apparenza delle cose ti avrà lasciato,
questa oscurità sarà ancora tua.
Qualcosa di tuo da portare con te.

We have come to the edge:
the lake gives off its hush;
in the outer night there is a barred owl
calling, like a moth
against the ear, from the far shore
which is invisible.
The lake, vast and dimensionless,
doubles everything, the stars,
the boulders, itself, even the darkness
that you can walk so long in
it becomes light.

Siamo giunti al limite:
il lago emana silenzio;
fuori nella notte c'è una civetta striata
che chiama, come una falena
contro l'orecchio, dalla riva lontana
che è invisibile.
Il lago, vasto e smisurato,
duplica ogni cosa, le stelle,
i massi, se stesso, persino l'oscurità
in cui puoi addentrarti
finché si fa luce.

You Come Back

You come back into the room
where you've been living
all along. You say:
What's been going on
while I was away? Who
got those sheets dirty, and why
are there no more grapefruit?
Setting foot on the middle ground
between body and word, which contains,
or is supposed to, other
people. You know it was you
who slept, who ate here, though you don't
believe it. I must have taken
time off, you think, for the buttered
toast and the love and maybe both
at once, which would account for the
grease on the bedspread, but no,
now you're certain, someone else
has been here wearing
your clothes and saying
words for you, because there was no time off.

Tu ritorni

Torni nella stanza
dove hai sempre
vissuto. Dici:
Cosa è avvenuto
mentre ero via? Chi
ha sporcato le lenzuola, e perché
non ci sono più pompelmi?
Posando il piede sulla zona intermedia
fra corpo e parola, che contiene,
o dovrebbe contenere, altre
persone. Sai che sei stata tu
a dormire, a mangiare qui, anche se non
ci credi. Forse c'è stata
una pausa, pensi, per il toast
imburrato e l'amore, e forse entrambi
insieme, il che giustificherebbe
l'unto sul copriletto, ma no,
ora sei certa, qualcun altra
è stata qui portando
i tuoi vestiti e pronunciando
parole per te, perché non c'è stata pausa.

Waiting

Here it is then, the dark thing,
the dark thing you have waited for so long.
You have made such melodramas.

You thought it would carry its own mist,
obscuring you in a damp enfolding, like the mildew
shroud on bread. Or you thought it would hide
in your closet, among the clothes you outgrew years ago,
nesting in dustballs and fallen hair, shedding
one of your fabricated skins
after another and growing bigger,
honing its teeth on your discarded
cloth lives, and then it would pounce
from the inside out, and your heart
would be filled with roaring

or else that it would come swiftly and without sound,
but with one pitiless glaring eye, like a high-speed train,
and a single blow on the head and then blackout.

Instead it is strangely like home.
Like your own home, fifty years ago,
in December, in the early evening
when the indoor light changed, from clear to clouded,
a clouded thick yellow, like a sulphury eggyolk,

and the reading lamp was turned on
with its brown silk shade, its aroma
of hot copper, the living
room flickering in the smells of cooking dinner,

and you crouched on the hardwood floor, smudged elbows
and scaly winter knees on the funny papers,
listening to the radio, news of disasters

Attesa

Eccola, dunque, la cosa oscura,
la cosa oscura che hai tanto atteso.
Hai fatto tali melodrammi.

Pensavi che avrebbe portato con sé la sua bruma,
oscurandoti in un umido viluppo, come il sudario
di muffa sul pane. O pensavi che si sarebbe nascosta
nell'armadio, fra le vesti troppo strette d'anni fa,
annidandosi in batuffoli di polvere e capelli, mutando
le tue pelli intessute una
dopo l'altra e ingrossandosi,
affilando i denti sulle tue vite di stoffa
smesse, e poi sarebbe balzata
fuori da dentro, e il tuo cuore
si sarebbe colmato di ruggito

o altrimenti che sarebbe venuta veloce e silente,
ma con un impietoso occhio abbagliante, come rapido treno,
e un sol colpo sul capo e poi il buio.

Invece è stranamente come una casa.
Come la tua casa, cinquant'anni fa,
in dicembre, sul calar della sera
quando la luce interna mutava, dal chiaro all'offuscato,
un giallo denso offuscato, come tuorlo sulfureo,

e il lume era acceso
col suo paralume di seta bruna, il sentore
di rame caldo, il soggiorno
guizzante negli odori della cena in cottura,

e tu accovacciata sul pavimento di legno duro, gomiti imbrattati
e squamose ginocchia invernali sui fumetti,
ascoltando la radio, notizie di disastri

that made you feel safe,
like the voice of your mother
urging you yet again to set the table
you are doing your best to ignore,
and you realized for the first time
in your life that you would be old

some day, you would some day be
as old as you are now,
and the home you were reading the funnies in
by the thick yellow light, would be gone
with all the people in it, even you,
even you in your young, smudgy body
with its scent of newsprint and dirty
knees and washed cotton,
and you would have a different body
by then, an old murky one,
a stranger's body you could not even imagine,
and you would be lost and alone.

And now it is now
and the dark thing is here,
and after all it is nothing new;
it is only a memory, after all:
a memory of a fear,
a yellowing paper child's fear
you have long since forgotten
and that has now come true.

che ti facevano sentire al sicuro,
come la voce di tua madre
esortante ancora ad apparecchiare la tavola
che tu fai del tuo meglio per ignorare,
e capisti per la prima volta
nella vita che saresti stata vecchia

un giorno, saresti un giorno
stata vecchia come sei ora,
e la casa in cui leggevi i fumetti
sotto la densa luce gialla, sarebbe svanita
con tutti loro, te inclusa,
te inclusa nel tuo giovane corpo imbrattato
col suo aroma di carta di giornale e sudice
ginocchia e cotone lavato,
e avresti avuto un corpo diverso
allora, un corpo tenebroso,
il corpo d'una estranea inimmaginabile,
e saresti stata smarrita e sola.

E ora è ora
e la cosa oscura è qui,
e dopo tutto non è cosa nuova;
è solo un ricordo, dopo tutto:
un ricordo d'un timore,
il timore d'una bimba di carta che ingiallisce
da te dimenticata da tempo
e che è ora diventata vera.

Cressida to Troilus: a Gift

You forced me to give you poisonous gifts.
I can put this no other way.
Everything I gave was to get rid of you
as one gives to a beggar: *There. Go away*.
The first time, the first sentence even
was in answer to your silent clamour
and not for love, and therefore not
a gift, but to get you out of my hair
or whatever part of me you had slid into
by stealth, by creeping up the stairs,

so that whenever I turned, watering
the narcissus, brushing my teeth,
there you were, just barely, in the corner
of my eye. Peripheral. A floater. No one
ever told you greed and hunger
are not the same.

How did all of this start?
With Pity, that flimsy angel,
with her wet pink eyes and slippery wings
of mucous membrane.
She causes so much trouble.

But nothing I ever gave was good for you;
it was like white bread to goldfish.
They cram and cram, and it kills them,
and they drift in the pool, belly-up,
making stunned faces
and playing on our guilt
as if their own toxic gluttony
was not their fault.

There you are still, outside the window,

Cressida a Troilo: un dono

Mi costringesti a darti doni velenosi.
Non so dirlo in altro modo.
Ogni cosa che ti ho dato era per liberarmi di te
come si fa per gli accattoni: *Tieni. Vattene via.*
La prima volta, la prima frase addirittura
fu in risposta al tuo silenzioso clamore
e non per amore, e pertanto non un
dono, ma per tirarti fuori dai miei capelli
o da qualsiasi parte di me in cui fossi scivolato
furtivo, strisciando su per le scale,

si ché ogni volta che mi giravo, mentre annaffiavo
il narciso, mentre mi lavavo i denti,
ecco che ti vedevo, a mala pena, con la coda
dell'occhio, che galleggiavi. Periferico. Mai
alcuno ti disse che avidità e fame
sono cose diverse.

Come iniziò tutto questo?
Con la Pietà, quel gracile angioletto,
con umidi occhi rossi e ali scivolose
di membrana mucosa.
Causa di tanti guai.

Ma di quanto io ho mai dato niente ti andava bene;
era come pane bianco ai ciprini dorati.
S'ingozzano e s'ingozzano, e il pane li uccide,
e galleggiano nella vasca, a pancia in su
con espressioni di stupore
e giocando con la nostra colpa
come se la loro tossica ingordigia
non fosse colpa loro.

Sei ancora lì, fuori della finestra,

still with your hands out, still
pallid and fishy-eyed, still acting
stupidly innocent and starved.

Well, take this then. Have some more body.
Drink and eat.
You'll just make yourself sick. Sicker.
You won't be cured.

ancora a mani tese, ancora
pallido e con occhio di pesce, fingendoti ancora
stupidamente innocente e affamato.

Bene, tieni questo allora. Prendi ancora un poco di corpo.
Bevi e mangia.
Riuscirai solo a sentirti male. Ancora più male.
Non sarai guarito.

Sekhmet the Lion-Headed Goddess of War, Violent Storms,
Pestilence, and Recovery From Illness,
Contemplates the Desert in the Metropolitan Museum of Art

He was the sort of man
who wouldn't hurt a fly.
Many flies are now alive
while he is not.
He was not my patron.
He preferred full granaries, I battle.
My roar meant slaughter.
Yet here we are together
in the same museum.
That's not what I see, though, the fitful
crowds of staring children
learning the lesson of multicultural obliteration, *sic transit*
and so on.

I see the temple where I was born
or built, where I held power.
I see the desert beyond,
where the hot conical tombs, that look
from a distance, frankly, like dunces' hats,
hide my jokes: the dried-out flesh
and bones, the wooden boats
in which the dead sail endlessly
in no direction.

What did you expect from gods
with animal heads?
Though come to think of it
the ones made later, who were fully human,
were no such good news either.
Favour me and give me riches,
destroy my enemies.
That seems to be the gist.
Oh yes: *And save me from death.*

Sekhmet la dea dalla testa di leone, divinità della guerra,
delle violente tempeste, della pestilenza,
e della guarigione dalla malattia, contempla il deserto
nel Metropolitan Museum of Art

Era il tipo d'uomo
che non fa male a una mosca.
Molte mosche sono ora vive
mentre lui non lo è.
Non fu mio patrono.
Lui preferiva i granai pieni, io le battaglie.
Il mio ruggito voleva dir massacro.
Tuttavia qui siamo insieme
nello stesso museo.
Questo non è, però, quel che io vedo, le discontinue
folle di scolari attenti a apprendere
la lezione dell'annientamento multi-
culturale *Sic transit*
e così via.

Io vedo il tempio dove nacqui o fui
costruita, dove tenni il potere.
Vedo, al di là, il deserto,
dove le infuocate tombe coniche, che francamente,
da lontano, sembrano proprio berretti per somari,
nascondono i miei scherzi: la carne inaridita
e le ossa, le barche di legno
in cui i morti veleggiano all'infinito
senza direzione.

Che ti aspettavi da dèi
con teste d'animale?
Benché se ci pensi
quelli fatti dopo, in tutto umani,
non erano poi una gran novità.
Sostienimi e dammi la ricchezza
distruggi i miei nemici.
Il dunque sembra questo.
Oh, sì: *E liberami dalla morte.*

In return we're given blood
and bread, flowers and prayer,
and lip service.

Maybe there's something in all of this
I missed. But if it's selfless
love you're looking for,
you've got the wrong goddess.

I just sit where I'm put, composed
of stone and wishful thinking:
that the deity who kills for pleasure
will also heal,
that in the midst of your nightmare,
the final one, a kind lion
will come with bandages in her mouth
and the soft body of a woman,
and lick you clean of fever,
and pick your soul up gently by the nape of the neck
and caress you into darkness and paradise.

In cambio riceviamo sangue
e pane, fiori e preghiere,
e falsa devozione.

Forse c'è qualcosa in tutto questo
che mi sfugge. Ma se è amore
disinteressato che cerchi,
hai trovato la dea sbagliata.

Io siedo dove mi mettono, composta
di pietra e pii desideri:
che la divinità che uccide per diletto
voglia anche guarire,
che nel mezzo del tuo incubo,
quello finale, un leone gentile
giunga con in bocca bende
e il morbido corpo di una donna,
e leccandoti ti liberi dalla febbre,
e prenda delicatamente la tua anima per la nuca
e ti carezzi fino all'oscurità e al paradiso.

Marsh Languages

The dark soft languages are being silenced:
Mothertongue Mothertongue Mothertongue
falling one by one back into the moon.

Language of marshes,
language of the roots of rushes tangled
together in the ooze,
marrow cells twinning themselves
inside the warm core of the bone:
pathways of hidden light in the body fade and wink out.

The sibilants and gutturals,
the cave language, the half-light
forming at the back of the throat,
the mouth's damp velvet moulding
the lost syllable for "I" that did not mean separate,
all are becoming sounds no longer
heard because no longer spoken,
and everything that could once be said in them has ceased to exist.

The languages of the dying suns
are themselves dying,
but even the word for this has been forgotten.
The mouth against skin, vivid and fading,
can no longer speak both cherishing and farewell.
It is now only a mouth, only skin.
There is no more longing.

Translation was never possible.
Instead there was always only
conquest, the influx
of the language of hard nouns,
the language of metal,
the language of either / or,
the one language that has eaten alt the others.

Lingue di palude

Le dolci lingue oscure vengono zittite:
Madrelingua Madrelingua Madrelingua
ricadono una per volta dentro la luna.

Lingua delle paludi,
lingua di radici di giunco avviluppate
insieme nel limo,
cellule di midollo s'intrecciano
dentro la calda anima dell'osso:
sentieri di luce nascosta nel corpo sfumano via in un battito.

Le sibilanti e gutturali,
la lingua della caverna, la mezza luce
che si forma dietro la gola,
l'umida vellutata foggia della bocca
nel dire la perduta sillaba 'Io' che non significava separazione,
diventano tutte suoni mai più
uditi perché mai più pronunciati,
e tutto ciò che poteva un tempo esser detto in loro ha cessato d'esistere.

Le lingue di soli morenti
muoiono anche loro,
ma pure la parola per dir questo si è dimenticata.
La bocca sulla pelle, vivida e evanescente,
non può più dire tenerezze con l'addio.
Ora è solo una bocca, solo pelle.
Non c'è più desiderio.

Tradurre non fu mai possibile.
Invece c'era sempre solo
la conquista, l'influsso
della lingua di nomi duri,
lingua di metallo,
lingua dell'esclusione
quella lingua che ha divorato tutte le altre.

Flowers

Right now I am the flower girl.
I bring fresh flowers,
dump out the old ones, the greenish water
that smells like dirty teeth
into the bathroom sink, snip off the stem ends
with surgical scissors I borrowed
from the nursing station,
put them into a jar
I brought from home, because they don't have vases
in this hotel for the ill,
place them on the table beside my father
where he can't see them
because he won't open his eyes.

He lies flattened under the white sheet.
He says he is on a ship,
and I can see it —
the functional white walls, the minimal windows,
the little bells, the rubbery footsteps of strangers,
the whispering all around
of the air-conditioner, or else the ocean,
and he is on a ship;
he's giving us up, giving up everything
but the breath going in
and out of his diminished body;
minute by minute he's sailing slowly away,
away from us and our waving hands
that do not wave.

The women come in, two of them, in blue;
it's no use being kind, in here,
if you don't have hands like theirs —
large and capable, the hands
of plump muscular angels,

Fiori

Adesso sono la ragazza dei fiori.
Porto fiori freschi,
getto quelli secchi, l'acqua verdastra
maleodorante come denti sporchi
nel lavandino del bagno, spunto i gambi
con cesoie da chirurgo prese
in prestito dagli infermieri,
li metto in un barattolo
portato da casa, perché non hanno vasi
in questo albergo per ammalati,
li pongo sul comodino accanto a mio padre
dove non li vedrà
perché non può aprire gli occhi.

Giace appiattito sotto il bianco lenzuolo.
È su una nave, dice,
e lo vedo —
le bianche pareti funzionali, finestre minime
piccoli campanelli, i passi di gomma degli estranei,
il bisbiglio diffuso
del condizionatore, o forse dell'oceano,
ed egli è sulla nave;
sta rinunciando a noi, rinunciando a tutto
eccetto che al respiro
che entra e esce dal corpo sminuito;
ogni minuto veleggia lentamente più lontano,
lontano da noi e dal saluto della mano
che non muoviamo.

Vengono le donne, sono due, in azzurro;
non serve, qui, esser gentili
se non hai mani come le loro —
grandi e capaci, le mani
di angeli tondi e muscolosi,

the ones that blow trumpets and lift swords.

They shift him carefully, tuck in the corners.
It hurts, but as little as possible.
Pain is their lore. The rest of us
are helpless amateurs.

A suffering you can neither cure nor enter –
there are worse things, but not many.
After a while it makes us impatient.
Can't we do anything but feel sorry?

I sit there, watching the flowers
in their pickle jar. He is asleep, or not.
I think: He looks like a turtle.
Or: He looks erased.
But somewhere in there, at the far end of the tunnel
of pain and forgetting he's trapped in
is the same father I knew before,
the one who carried the green canoe
over the portage, the painter trailing,
myself with the fishing rods, slipping
on the wet boulders and slapping flies.
That was the last time we went there.

There will be a last time for this also,
bringing cut flowers to this white room.
Sooner or later I too
will have to give everything up,
even the sorrow that comes with these flowers,
even the anger,
even the memory of how I brought them
from a garden I will no longer have by then,
and put them beside my dying father,
hoping I could still save him.

che suonan trombe e brandiscono spade.

Lo muovono con cura, rincalzan le lenzuola.
Gli fanno male, ma meno possibile.
Il dolore è il loro sapere. Quanto a noi,
siamo poveri dilettanti.

La sofferenza non si può penetrare, né curare –
cose peggiori ce ne sono, ma non molte.
Dopo un poco ci rende impazienti.
Possiamo far qualcosa oltre al compatire?

Siedo là e guardo i fiori
nel vaso da sottaceti: Dorme, forse no.
Penso: Sembra una tartaruga.
Oppure: Sembra cancellato.
Ma là da qualche parte, al limite estremo del tunnel
del dolore e dimentico di essere intrappolato
è il padre che io conoscevo,
lo stesso che trasportava la verde canoa
per rimetterla in acqua, le cime per l'ormeggio,
ed io con la canna da pesca che scivolavo
sui ciottoli bagnati e scacciavo le mosche.
Quella fu l'ultima volta che vi andammo.

Verrà l'ultima volta anche per questo,
portare fiori recisi in questa bianca stanza.
Prima o poi io pure
dovrò rinunciare a tutto,
anche al dolore che viene con questi fiori,
anche alla rabbia,
anche al ricordo di come li portavo
da un giardino che ormai non avrò più,
per deporli accanto a mio padre morente,
sperando ancora di poterlo salvare.

Shapechangers in Winter

1.

Through the slit of our open window, the wind
comes in and flows around us, nothingness
in motion, like time. The power of what is not there.
The snow empties itself down, a shadow turning
to indigo, obliterating
everything out there, roofs, cars, garbage cans,
dead flowerstalks, dog turds, it doesn't matter.
You could read this as indifference
on the part of the universe, or else a relentless
forgiveness: all of our
scratches and blots and mortal
wounds and patched-up jobs
wiped clean in the snow's huge erasure.

I feel it as a pressure,
an added layer:
above, the white waterfall of snow
thundering down; then attic, moth-balled
sweaters, nomadic tents,
the dried words of old letters;
then stairs, then children, cats and radiators, peeling paint,
us in our bed, the afterglow
of a smoky fire, our one candle flickering;
below us, the kitchen in the dark, the wink
of pots on shelves; then books and tools, then cellar
and furnace, greying dolls, a bicycle
the whole precarious geology of house
crisscrossed with hidden mousetrails,
and under that a buried river
that seeps up through the cement
floor every spring,
and the tree roots snouting their slow way
into the drains;

Metamorfosi invernale

1.

Attraverso la fessura della finestra socchiusa, il vento
entra e ci avvolge, il nulla
in movimento, come il tempo. Il potere di ciò che non c'è.
La neve si svuota, un'ombra diventa
indaco, obliterando
ogni cosa là fuori, tetti, automobili, bidoni della spazzatura,
gambi di fiori morti, escrementi di cane, niente importa.
Potresti pensare che è indifferenza
da parte dell'universo, oppure un' inesorabile
clemenza: tutti i nostri
graffi e macchie e ferite
mortali e lavori rabberciati
spazzati via dall'enorme oblio della neve.

Lo sento come pressione,
strato aggiunto:
sopra, la bianca cascata di neve
che scende rombando; poi la soffitta, maglioni
in naftalina, tende nomadiche,
parole inaridite di vecchie lettere;
poi scale, bambini, gatti e termosifoni, vernice scrostata,
noi nel nostro letto, il riverbero
di un fuoco fumoso, la nostra unica candela tremolante;
sotto di noi, la cucina al buio, il luccichìo
di pentole sugli scaffali; poi libri e attrezzi, poi la cantina
e la caldaia, bambole ingrigite, una bicicletta,
l'intera geologia precaria della casa
intersecata da segreti passaggi di topi,
e al di sotto un fiume sotterraneo
che s' infiltra attraverso il pavimento
di cemento ogni primavera,
le radici degli alberi che s' insinuano lente
nei tubi di scarico;

under that, the bones
of our ancestors, or if not theirs, someone's,
mixed with a biomass of nematodes;
under that, bedrock, then molten
stone and the earth's fiery core;
and sideways, out into the city, street
and corner store and mall
and underpass, then barns and ruined woodlands, continent
and island, oceans, mists,
of story drifting
on the tide like seaweed, animal
species crushed and blinking out,
and births and illnesses, hatred and love infra-
red, compassion fleshtone, prayer ultra-
violet; then rumours, alternate waves
of sad peace and sad war,
and then the air, and then the scintillating ions,
and then the stars. That's where
we are.

2.

Some centuries ago, when we lived at the edge
of the forest, on nights like this
you would have put on your pelt of a bear
and shambled off to prowl and hulk
among the trees, and be a silhouette of human
fears against the snowbank.
I would have chosen fox;
I liked the jokes,
the doubling back on my tracks,
and, let's face it, the theft.
Back then, I had many forms:
the sliding in and out of
my own slippery eelskin,
and yours as well; we were each other's
iridescent glove, the deft body
all sleight-of-hand and illusion.
Once we were lithe as pythons, quick
and silvery as herring, and we still are, momentarily
except our knees hurt.

210

al di sotto, le ossa
dei nostri antenati, o se non le loro, di qualcuno,
impastate in una biomassa di nematodi;
al di sotto, letto di roccia, e poi pietra
fusa, nucleo infuocato della terra;
a lato la città, strada,
negozio d'angolo e centro commerciale,
sottopassaggio, poi granai e boschi abbandonati, continente
e isola, oceani, brume
di storia alla deriva
sulla marea come alga marina, specie
animale schiacciata e in estinzione,
e nascite e malattie, odio e amore infra-
rossi, compassione del colore della carne, preghiera ultra-
violetta; poi voci, onde che si alternano
di triste pace e triste guerra,
e poi l'aria, e poi gli ioni scintillanti,
e poi le stelle. Ecco dove
siamo.

2.

Secoli fa, quando vivevamo ai margini
della foresta, in notti come questa
avresti indossato la tua pelle d'orso
e avresti vagato goffo in cerca di preda
fra gli alberi saresti stato l'ombra delle paure
umane contro il banco di neve.
Io avrei scelto la volpe;
mi piaceva scherzare,
ritornare sulle mie impronte,
e, ammettiamolo, rubare.
Allora, assumevo molte forme:
lo sgusciare dentro e fuori
dalla mia viscida pelle d'anguilla
e anche dalla tua; eravamo il guanto
iridescente l'uno dell'altro, l'agile corpo svelto
tutto destrezza di mano e illusione.
Un tempo eravamo flessuosi come pitoni, veloci
e argentei come aringhe, e lo siamo ancora, per il momento,
se non fosse per le ginocchia doloranti.

Right now we're content to huddle
under the shed feathers of duck and goose
as the wind pours like a river
we swim in by keeping still,
like trout in a current.
                              Every cell
in our bodies has renewed itself
so many times since then, there's
not much left, my love,
of the originals. We're footprints
becoming limestone, or think of it
as coal becoming diamond. Less
flexible, but more condensed;
and no more scales or aliases,
at least on the outside. Though we've accumulated,
despite ourselves, other disguises:
you as a rumpled elephant-
hide suitcase with white fur,
me as a bramble bush. Well, the hair
was always difficult. Then there's
the eye problems: too close, too far, you're a blur.
I used to say I'd know you anywhere,
but it's getting harder.

3.

This is the solstice, the still point
of the sun, its cusp and midnight,
the year's threshold
and unlocking, where the past
lets go of and becomes the future;
the place of caught breath, the door
of a vanished house left ajar.

Taking hands like children
lost in a six-dimensional
forest, we step across.
The walls of the house fold themselves down,
and the house turns
itself inside out, as a tulip does
in its last full-blown moment, and our candle

Ora ci accontentiamo di rannicchiarci
sotto le sparse piume d'anatra e d'oca
mentre il vento scorre come un fiume
vi nuotiamo dentro restando immobili,
trote nella corrente.
                    Ogni cellula
del nostro corpo si è rinnovata
così spesso da allora, che non è
rimasto molto, amore mio,
dell'originale. Siamo impronte
che diventano pietra calcarea, oppure
carbone che diventa diamante. Meno
flessibili, ma più condensati;
e niente più squame o pseudonimi
per lo meno all'esterno. Sebbene abbiamo accumulato,
malgrado noi, altri travestimenti:
tu come consunta valigia di pelle
di elefante con bianca pelliccia,
io come rovo. Ebbene, i capelli
sono sempre stati difficili. Poi c'è
il problema degli occhi: troppo vicino, troppo lontano, sei sfocato.
Dicevo che ti avrei riconosciuto ovunque,
ma diventa sempre più arduo.

3.

Questo è il solstizio, il punto fermo
del sole, la sua cuspide e la mezzanotte,
la soglia dell'anno
e lo schiudersi, dove il passato
si lascia andare e diventa il futuro;
il luogo del respiro trattenuto, la porta
di una casa scomparsa lasciata socchiusa.

Prendendoci per mano come bambini
sperduti in una foresta
a sei dimensioni, attraversiamo la strada.
Le mura della casa si ripiegano,
e la casa si rovescia, come un tulipano
nell'ultima fase di fioritura, e la nostra candela
avvampa e si spegne, e l'unico senso

flares up and goes out, and the only common
sense that remains to us is touch,

as it will be, later, some other
century, when we will seem to each other
even less what we were.
But the trick is just to hold on
through all appearances; and so we do,
and yes I know it's you;
and that is what we will come to, sooner
or later, when it's even darker
than it is now, when the snow is colder,
when it's darkest and coldest
and candles are no longer any use to us
and the visibility is zero: *Yes.*
It's still you. It's still you.

comune che ci resta è il tatto,

come sarà, in seguito, in un altro
secolo, quando appariremo l'uno all'altro
ancora meno di quel ch'eravamo.
Ma il trucco è solo tener duro
attraverso tutte le apparenze; è così che facciamo,
sì, io so che sei tu;
questa sarà la conclusione cui giungeremo, prima
o poi, quando sarà persino più buio
di ora, quando la neve sarà più fredda,
quando sarà tanto buio e freddo
che le candele non ci serviranno più
e la visibilità sarà zero: *Sì.*
Sei ancora tu. Sei ancora tu.

Morning in the Burned House

In the burned house I am eating breakfast.
You understand: there is no house, there is no breakfast,
yet here I am.

The spoon which was melted scrapes against
the bowl which was melted also.
No one else is around.

Where have they gone to, brother and sister,
mother and father? Off along the shore,
perhaps. Their clothes are still on the hangers,

their dishes piled beside the sink,
which is beside the woodstove
with its grate and sooty kettle,

every detail clear,
tin cup and rippled mirror.
The day is bright and songless,

the lake is blue, the forest watchful.
In the east a bank of cloud
rises up silently like dark bread.

I can see the swirls in the oilcloth,
I can see the flaws in the glass
those flares where the Sun hits them.

I can't see my own arms and legs
or know if this is a trap or blessing,
finding myself back here, where everything

in this house has long been over,
kettle and mirror, spoon and bowl,

Mattino nella casa bruciata

Nella casa bruciata faccio colazione.
Tu capisci: non c'è casa, non c'è colazione,
eppure sono qui.

Il cucchiaio si è fuso e raschia
la ciotola che si è pure fusa.
Non c'è nessun'altro.

Dove sono andati, fratello e sorella,
madre e padre? Lungo la costa,
forse. Gli abiti sono ancora sull'attaccapanni,

la pila dei piatti accanto al lavello,
che è accanto alla stufa a legna
con la graticola e il bricco fuligginoso,

ogni dettaglio chiaro,
la tazza di latta e lo specchio ondulato.
Il giorno è luminoso e senza canto,

il lago è blu, la foresta vigile.
A oriente un banco di nuvole
lievita silenzioso come pane nero.

Vedo gli arabeschi della tela cerata,
Vedo le imperfezioni del vetro,
quei bagliori dove batte il sole.

Non riesco a vedermi la braccia e le gambe
o a capire se questa è una trappola o una benedizione,
ritrovandomi di nuovo qui, dove ogni cosa

in questa casa da tempo non esiste più,
bricco e specchio, cucchiaio e ciotola,

including my own body,

including the body I had then,
including the body I have now
as I sit at this morning table, alone and happy,

bare child's feet on the scorched floorboards
(I can almost see)
in my burning clothes, the thin green shorts

and grubby yellow T-shirt
holding my cindery, non-existent,
radiant flesh. Incandescent.

incluso il mio corpo,

incluso il corpo che avevo allora,
incluso il corpo che ho ora
mentre siedo a questo tavolo mattutino, sola e felice,

piedi nudi di bambina sulle tavole bruciate del pavimento
(riesco quasi a vedere)
nei miei abiti in fiamme, i calzoncini verdi leggeri

e la maglietta gialla consunta
che tiene assieme la mia cinerea, inesistente,
carne radiosa. Incandescente.

Index
Indice

Volumi pubblicati in questa serie

Finito di stampare
per A. Longo Editore in Ravenna
nel mese di ottobre 2000
da Tipografia Moderna